Studio De Ferrari Architetti
Opere 2000-2006/*Works 2000-2006*

Conversazioni/*Conversations*
Piero Brarda e Luigi D'Elia
Jean-Sébastien Decaux
Giovanni Durbiano
Frabrizio Jacobacci
Paolo Verri

Testi/*Texts*
Claudio Germak

STUDIO DE FERRARI ARCHITETTI
Opere 2000-2006
Works 2000-2006

Edizioni Lybra Immagine

Si ringraziano / *Our thanks go to*
Gruppo Bodino
Interprogetti
Pavesmac
per aver reso possibile questa pubblicazione
who made this book possible

Inoltre un ringraziamento a
Moreover, our thanks go to
Abet Laminati
Knauf
Milliken Carpet
Ruud Lighting
Sikkens
Stramandinoli
TLF Tecno Legno Fantoni.

Traduzioni/*Translation:* Roberta Prandin
Stampa/*Printed by:* Pirovano, San Giuliano Milanese, Milano

ISBN: 88-8223-086-4

© 2006 Edizioni Lybra Immagine
Via Aurelio Saffi 7, 20123 Milano
Tel. 02.48000818, fax 02.48012748
E-mail: lybra@lybra.it - www.lybra.it

Indice/*Table of contents*

Conversazioni

Conversations

Conversazione con Piero Brarda e Luigi D'Elia

Da destra:
Piero Brarda,
presidente del Gruppo Bodino.
Luigi D'Elia,
amministratore delegato di Bodino Engineering.

Bodino è un Gruppo all'avanguardia nella progettazione e realizzazione di allestimenti su disegno, permanenti e temporanei, strutture architettoniche per interni ed esterni, fiere ed eventi.

Bodino is a Company in the fore in the design and execution of custombuilt exhibit designs, be they permanent and temporary, outdoor and indoor architectural facilities, exhibitions and events.

SDF Trent'anni di relazioni tra lo Studio e la Bodino non sono pochi. Un sodalizio fortunato per diversi motivi: logistici, perchè siamo geograficamente vicini, utilitaristici e culturali, perchè andare alla Bodino, che unisce falegnameria, officina, stand, è come recarsi nella bottega sotto casa. Si respira un clima da "fabrica" nel senso latino, dove alchemiche costruzioni sono possibili con grande facilità, si prova, si ingegnerizza e soprattutto non si fa anticamera.

LD' Partendo dal presupposto che un lavoro, piccolo o grande che sia non si rifiuta, il rapporto di fiducia e interesse che si è creato con voi ha superato ogni burocrazia. Già quando c'era il Sig. Bodino, il fondatore e "fonditore", perchè la bottega era una fucina di metalli, non si passava neanche più da lui; né voi, né noi. Era un accreditamento privilegiato per i clienti di maggiore fiducia. Ma oltre a questa molte altre cose non sono cambiate. Ad esempio, oggi si lavora con il computer, un tempo con il tecnigrafo. Eravate quelli, ma siete ancora oggi quelli che arrivano con il dettaglio in scala 1:1. Pertanto, il realizzatore non ha nulla da inventare, solo leggere attentamente il disegno per cercare di proporre qualche miglioria costruttiva.

PB Poi però devi sviluppare il materiale, ogni volta sempre diverso: questa era, ed è, la cosa più affascinante. Ogni volta per noi è un'ansia, mista a passione e curiosità.

SDF Vai da Bodino con un progetto apparentemente complesso e ne troverai una facile realizzazione. Vai con un progetto (volutamente) semplice e capita che Bodino lo complessifichi. Sembra che voi vi divertiate di più nel fare cose complesse.

PB Con voi ad oggi abbiamo condiviso la nostra parte dell'anima più artigiana. E a D'Elia, vero artigiano che vi segue costantemente da anni, piace cambiare continuamente. Io, invece, quando guardo le vostre proposte intravedo cose che mi interessano e che non mi avete mai proposto; cose che io potrei fare e rifare. Ma, è vero, l'azienda Bodino è cresciuta su cose semplici, o meglio dirette. Mio zio mi diceva: Pierino non ti preoccupare, al mattino apri bottega e i clienti arriveranno. Era un discorso antico. Io e D'Elia siamo rimasti così: rispondiamo a qualunque tema che voi ci portiate. In un certo senso siamo vittime delle cose che ci appassionano.

SDF Sì, noi siamo difficilmente classificabili perchè progettiamo in ragione della situazione o del luogo. Questo comporta una certa poliedricità dell'azione e del risultato.

PB Già, da quando conosco De Ferrari, sono sempre stato sorpreso dalla sua ricerca di "territorialità", cioè dall'inventarsi un modo di essere progettista all'interno di specifiche situazioni. Non esiste uno stile con il quale classificarvi. Mentre quando arrivano da noi altri grandi (e noti) architetti, sappiamo già che cosa ci propongono. Il nostro interesse si rivolge allora alla dimensione, alla scala dell'intervento.

SDF Studio De Ferrari, altri segni caratteristici?

PB Ci sono. Ad esempio, guardando a nuovi oggetti in Torino io cominciavo a pensare che fossero vostri perchè c'era qualcosa che me lo faceva pensare. Come nei lampioni in Corso Giulio Cesare. Mi chiedevo: come mai fusti così grandi e bracci così sottili; e poi, bracci che non erano tubi ma trafilati a sezione quadrata, curvati sulla diagonale. Chi mai poteva esercitare quel fascino così sottile del dettaglio? Variazioni anche piccole rispetto al tradizionale. Incrociando i dati del mio cervello "data base" è saltato fuori un nome: De Ferrari. Distinguo che piacciono a voi ma anche a noi.

LD' Lavorare sul dettaglio non è da tutti, neanche dei grandi nomi dell'architettura che pure ci onoriamo di servire. La passione per il dettaglio, la finitura, anche quello che poi riconosciamo congiuntamente che il cliente o il pubblico quasi non vede, ci accomuna.

SDF Altra caratteristica: raramente ci è capitato di proporvi un modello già adottato.

LD' In trent'anni con voi a me non è mai capitato di fare la stessa cosa e quasi nemmeno di lavorare lo stesso materiale. È stata una ricerca continua: acciaio, alluminio, plastiche,... Abbiamo esplorato insieme le potenzialità della materia. Come le prime estrusioni di alluminio: quante difficoltà e quanti accorgimenti scoperti insieme.

PB Bodino, oggi, è una realtà che per stare sul mercato dovrà anche ripetere delle cose. Anche se questo comporta variazioni di comportamento molto difficili. Mi spiego. Bodino non si è mai evoluta in industria. In parte perchè non ci siamo mai spiegati all'esterno o con voi progettisti. Abbiamo peccato in comunicazione. Non vi abbiamo mai confidato ciò che volevamo diventare, quello che eravamo pronti a diventare. Per il nostro pudore da artigiani siamo sempre rimasti quelli che eravamo prima; travolti dalle consegne, dai tempi, tutti presi a fare bene ciò che sempre abbiamo fatto bene. È un nostro limite. Guardare oltre, da noi è un lusso.

LD' Non è sempre così vero. Nella realizzazione delle facciate Coin a Mestre, ad esempio, anzi nel palazzo Coin intero, abbiamo fatto quasi tutto: esterni ed interni, al limite delle nostre e loro forze, giorno per giorno, notte per notte. Ve la ricordate la gente mestrina sotto l'edificio in ricostruzione che a seconda di come posizionavamo un pannello e di quanto tempo ci mettevamo dicevano: "tempo scaduto, brava gente. La vostra ze una lotta disperata". Invece arrivammo stremati ma puntuali. Avevamo messo a punto, insieme, un pannello prefabbricato di rivestimento in alluminio tubolare che ancora oggi è un capolavoro di design, dove i tubi al neon sostituivano tubi ciechi riuscendo ad integrare la grafica sullo stesso piano del rivestimento. Un progetto certamente da rieditare.

SDF Vincemmo, e con noi Bodino, che ricevette l'incarico non solo della facciata ma anche dei contro soffitti, degli arredi fissi e di gran parte delle finiture. Dopo averci visto rifiutare dalla committenza ogni tipo di proposta per il rivestimento di facciata, l'unica chance era inventare qualcosa di speciale, che fu fatto in tre giorni portando sul tavolo dell'amministratore delegato il prototipo in scala 1:1.
Che cosa ci accomuna? La disponibilità. Come progettisti ci accorgiamo di essere, ad esempio nei confronti del cliente molto tolleranti: ascoltiamo e siamo aperti ai segnali del cliente. Un "no" o anche un "ni" ci proietta immediatamente nella rielaborazione della soluzione, di cui cerchiamo di non tradire l'originalità, e di fare sembrare che abbiamo pensato ad una cosa diversa. Valorizzando (apertamente) il ruolo del cliente. Così voi, siete artigiani aperti alla flessibilità: gente senza orari, senza festività, disponibili anche a rischiare. Artigiani auto(no)mi, ma non automi.

PB Beh, autonomi fino ad un certo punto. Dicevamo ieri in un consiglio di amministrazione (perchè noi siamo azienda e Gruppo a tutti gli effetti) che questa forza da artigiano che ci circola sotto, dovrebbe produrre, pur senza abbandonare la propria identità, ulteriore risorsa. Ora cercheremo di fare un censimento delle cose ripetibili; quelle cose in cui in passato abbiamo messo tanta energia e risorse economiche. Cose troppo "costose", oggi, per essere realizzate una sola volta. Ci stiamo abituando a ragionare nell'ambito della sostenibilità e dell'efficienza e non solo dell'efficacia.

SDF Diventerete produttori di componenti proto-serie?
PB Si, a cominciare dalla capacità e volontà di comunicare quello che facciamo, caratteristica verso la quale siamo stati fino ad oggi troppo distratti perchè ostinatamente troppo impegnati a fare altro. Per Mosca abbiamo fatto oggetti e allestimenti molto belli, e non abbiamo una foto: questo è tutto detto. Con voi abbiamo fatto una quantità enorme di oggetti e soluzioni che si potrebbe allestire una galleria di design. Perchè non sfruttarle sul piano industriale?

LD' Però, lasciatemi dire, quando arriva De Ferrari senior, per noi viene il bello. Lui, vero artigiano del progetto, arriva che ha tutto in mente e vorrebbe quasi costruirlo con le sue mani. L'ho incontrato che chiedeva alla nostra falegnameria della segatura. Avutala, è scappato in gran fretta: un cenno della mano e una parola "perfetto...". Come tutti i grandi artigiani, molto misterioso.

Conversation with Piero Brarda and Luigi D'Elia

SDF A thirty-year-old relationship between the Practice and Bodino is quite a long-standing one. A successful alliance in several respects: logistic, because we are geographically close to each other; functional and cultural because going to Bodino, which encompasses carpentry, workshop, stand, is like going at the shop round the corner. The air you breathe compares very much to the Latin concept of "fabrica", where alchemic constructions are easily feasible, you make trials, engineering and, above all, they do not keep you waiting.

LD When we assume that work is never to be turned down, no matter whether it is a major or a minor one, the mutual trust and interest relationship established with you has overcome all sorts of bureaucratic obstacles. As early as when Mr. Bodino himself was there, the founder and "forger", because the workshop was a melting pot of metals, no need to call on him, either you or us. It was a special treatment given to most trusted customers. But, apart from this very one, many other things have remained the same. For instance, today work is aided by computers, in the past we used to work at the drawing table. You were those, and still are today, who would show up with a 1:1 detail. Therefore, the maker has nothing to invent, but simply read carefully the drawing to try and come up with a few executional improvements.

PB But then you have to develop the material, every time different: this was, and is, the most fascinating aspect. Every time we experience anxiety, imbued with passion and curiosity.

SDF You go to Bodino with an apparently complex project and they easily craft it for you. You go with a (deliberately) simple project and it may well happen that Bodino adds complexity to it. It looks like you have more fun making complex things.

PB To date we have shared with you the most crafting side of our soul. And D'Elia, the genuine craftsman who has been working with you for many years, likes changing all the time. Instead, when I look at your propositions, I seem to see things that I find interesting but which you have never proposed to me; things I could do over and over again. But, it is true, Bodino has fed on simple, or put it better, direct things. My uncle used to tell me: Pierino don't you worry, open your workshop in the morning and customers will be at the door. It was ancient talk. D'Elia and I have never changed: we succeed in working out no matter what idea you submit to us. Somehow we are prey to the things about which we are passionate.

SDF Yes, we are hardly to be classified because we design based on the situation or the site we are presented with. Which implies the versatility of the action and of the outcome as well.

PB Exactly, ever since I have known De Ferrari, I have always been surprised by his quest for "territoriality", namely coming up with being a designer against specific backgrounds. No classification standards could ever apply to you. Whereas when other established (and renowned) architects apply to us, we know beforehand what we are to expect. Our interest, then, steers to the dimension, to the scale of the project.

SDF Studio De Ferrari, any other hallmarks?

PB There are. For instance, by looking at new objects in Turin I had begun to think you had designed them because there was something about them that strongly drove this impression. Such as the street-lamps of Corso Giulio Cesare. I asked myself: why such thick posts and such thin arms? And again, arms that were not tubes but square-section drawn elements, curved obliquely. Who ever could have achieved that subtle appeal of details? Minor variations compared to traditional examples as well. By cross-referencing the data in my data base-like brain, a name paved its way: De Ferrari. I notice you like them but we like them too.

LD' There are not many people able to work on details, nor the great names of architecture whom we are honoured to work with. The passion for details, for finishes, even what we eventually acknowledge jointly with the client or the public, is not to be seen, it is what we share.

SDF Another differentiating point. We have seldom happened to submit to you a model adopted earlier.

LD' I have never happened to do the same thing over the thirty years spent with you and almost never to craft the same material. It has been an on-going pursuit: steel, aluminium, plastic… We have explored together the potentials of the materials. Such as the first aluminium extrusions: lots of obstacles and clever devices discovered together.

PB Bodino, today, is a company that to compete with the market, probably has to replicate some of the things done in the past. Even though this implies very challenging behavioural changes. Let me come to the point. Bodino has never grown into an industry. Partly because we have never communicated with the outer world or with designers. We have a few shortcomings in terms of communication. We have never let it out with you what we wanted to be, what we were ready to become. Owing to our in-born modesty as craftsmen, we have always remained what we were before; overwhelmed by delivery issues, timing, busy in doing well what we have always done well. It is our weakness. Looking forward is something our company cannot afford.

LD' That is not always so true. In making the Coin façades in Mestre, for instance, indeed the whole Coin building, we have done almost everything: interior and exterior, beyond their strength and ours, day by day, night by night. Do you recall the population in Mestre standing at the feet of the building under construction who, depending on how we would position a panel and the time it took us, went: "time out, good fellows. Yours is a helpless struggle". Instead we got at the end exhausted but we made it on time. We had developed together a prefab panel made from a tubular aluminium cladding which still ranks as a design masterpiece, where neon lights replaced blind tubes while fitting the graphics at the same level as the cladding. For sure a project worth being replicated.

SDF We proved successful and Bodino as well who were trusted not only with the façade, but with the double ceilings, the permanent furnishing and most finishes as well. After the client had turned down almost every solution for the façade cladding, the only chance left was for us to come up with something special which we worked out in three days and put the 1:1 prototype on the desk of the managing director. What have we got in common? Helpfulness. As designers we realise we are extremely patient towards the client: we listen to and are responsive to the client's signals. "No" or "yes and no" immediately makes us reframe the solution, the originality of which we try not to betray and give the impression we have come up with something different. Thus (overtly) enhancing the client's role. Likewise you are craftsmen open to flexibility: people who do not have set working hours, scheduled holidays, also ready to take the risk. Autonomous craftsmen but not automatons.

PB Well, autonomous up to a given extent. During yesterday's Board meeting (because we are a company and a Group in all respects) we were commenting that the handicraft's strength, which keeps us going, should produce extra resources yet without relinquishing our identity. I think we will try to sort out the things that can be replicated; those things into which we have poured so much energy and economic resources in the past. "Expensive" things, too expensive to be made only once. We are trying to think in terms of sustainability and efficiency rather than only in terms of effectiveness.

SDF Do you mean you will turn into standard-prototype producers?

PB Yes, first of all developing the ability and will to communicate what we do, a characteristic we have overlooked too much so far because we were far too busy, committed doing other things. For the Moscow project, we have crafted very beautiful objects and exhibit designs and have not taken one single picture, which says it all. We have come up with so many objects and solutions together with you that we could set up a design gallery. Why not take advantage of them on an industrial basis?

LD' But, let me tell you what. When De Ferrari senior shows up, that is the challenge for us. He, the true design craftsman, arrives with everything in mind and would almost craft it with his own hands. I have come across him asking for sawdust to our carpentry. After getting it, he has rushed away: a wave of the hand and a word "perfect"…. Extremely cryptic, like every other great craftsman.

Conversazione con Jean-Sébastien Decaux

Jean-Sébastien Decaux,
Presidente di JCDecaux Belgio e Direttore Commerciale del gruppo IGP Decaux in Italia.

ICDecaux, nata in Francia per iniziativa di Jean Claude, è oggi un'azienda leader mondiale nell'integrazione di tre attività: pubblicità dinamica, arredo urbano e affissioni.
In Italia, attraverso IGP Decaux, è uno dei principali riferimenti per la comunicazione in esterno.

ICDecaux, established in France by Jean Claude, today is a worldwide leader encompassing three specialisations: dynamic advertising, urban design and outdoor posters.
Through Italy-based IGP Decaux, it is one of the main players in the Italian market of outdoor communication.

SDF *"Un edificio è un edificio, due edifici sono una città", così scriveva alla fine degli agli anni '50 il critico inglese Gordon Cullen a proposito del paesaggio urbano. Da lì a poco, Decaux avrebbe trasformato l'AU, elemento del paesaggio urbano, in un servizio, inventando il business per il quale l'attrezzatura è prestata alla comunità in cambio dello sfruttamento di una parte degli spazi pubblicitari ad essa integrati.*
JSD Come per Cullen un edificio era un edificio, per Decaux, all'inizio, un edificio era un pensilina: funzionale e ben fatta. Ma, fin da subito fu per noi importante lavorare sull'idea di sistema, per cui l'AU non era fatto solo di pensiline, ma anche di segnaletica, informazione, bagni, raccolta rifiuti,... Un panorama ampio di oggetti creati per svolgere un servizio e che nell'insieme cominciavano ad avere un peso sul paesaggio.

SDF *L'AU "sponsorizzato" presto occupa i punti più strategici e delicati della città senza porsi il problema dell'impatto ambientale. Nel 1974, infatti, Casabella titolava così un numero tematico: "Arredo in-urbano".*
JSD Vero, la personalizzazione dell'oggetto era diventata un'esigenza sentita, che dagli anni '80 modifica anche il nostro approccio al servizio che avevamo inventato. La nostra risposta fu quella di personalizzare gli interventi con grandi nomi, ma non per garantirci attraverso la "griffe", quanto perchè si riteneva che la soluzione stesse nell'equivalenza: grandi nomi = grandi esperti, cioè progettisti capaci di dare soluzione appropriata al design dell'attrezzatura ed alla sua corretta collocazione. Una svolta importante, come fu nel caso di Norman Foster dopo la metà degli anni '80, a cui chiedemmo di disegnare una linea di arredi per Parigi: qualcosa che fosse espressione dell'unione tra pubblica utilità e fare "città", attraverso un design non banale.

SDF *Partono i progetti "ad hoc" da cui nascono prodotti che successivamente il mercato presenta come seriali, quindi ripetibili in altri contesti. È stato così anche per voi?*
JSD Ci sono due scuole. Città che esigono elementi molto personalizzati, altre che preferiscono avere elementi griffati e collaudati da altre importanti città, anche se un po' generici rispetto al proprio contesto. Praga, ad esempio, all'inizio degli anni '90 ambiva essere una delle prime città attrezzate nell'Europa dell'est. Praga era orgogliosa di poter ospitare una linea collaudata come quella di Foster per Parigi. Mentre Parigi aveva preteso una propria linea, ma in fondo era anch'essa contenta di avere altre città che accogliessero la propria linea. Un vero e proprio brand march.

SDF *"Meglio togliere che mettere" è uno slogan che apriva negli anni '80 le conferenze dello Studio sul tema della scena urbana. È ancora attuale?*
JSD Direi... prima "togliere e poi mettere".

SDF *Affermazione da imprenditore.*
JSD Non vorrei essere frainteso. Penso che il vostro sia stato un grido di allarme tipicamente italiano. E sarebbe bene che De Ferrari continuasse ancora ad insistere su questo concetto che, tranne nelle città più piccole, non sembra così condiviso. Mi spiego. I Decaux francesi, nei paesi conservatori come Belgio, Inghilterra e Scandinavia, hanno sempre avuto accoglienza facile perchè i nostri manufatti vanno a sostituirsi ad altri obsoleti nella città. Non così in Italia, dove gli italiani raramente fanno attenzione a pulire, prima di mettere. Così come gli italiani sono stati gli ultimi in Europa a capire che il servizio da noi proposto è anche di gestione e manutenzione dell'AU.

SDF *Perchè siete venuti a cercarci?*
JSD Per il motivo già detto. Decaux cerca oggi un approccio personalizzato alla città. Torino, ricca di industria e di design: come non pensare ad un'idea di AU con forte identità che interpretasse

questi valori. L'abbiamo trovato in voi. Abbiamo pensato che questo era uno Studio che vive nella città e nella strada... è un nostro modo di dire... e che nel progetto/ricerca ha avuto un ruolo nel rinnovamento di molti luoghi urbani in Italia. Progettisti per l'industria che si comportano in modo coerente, ma anche con quel pizzico di contrasto che a noi francesi piace.

SDF *Al riguardo, all'inizio di ogni nuovo esperienza progettuale noi ci poniamo la domanda: contrasto, adeguamento, neutralità?*
JSD Spero di non sbagliarmi: voi agite per contrasto. O meglio, tra adeguamento e contrasto. In realtà, ci si può adeguare facendosi comunque notare. E per un'azienda come la nostra, che è espressione di clienti molto importanti, è necessario farsi notare, pur senza stravaganze. Per questo vi abbiamo scelti come designer partners nel caso di Torino.
Certo, di voi colpisce, innanzitutto, la diversità degli interventi, per tema e scala. La vostra architettura poi, non è mai fine a se stessa; esprime una opinione, soprattutto del luogo. La varietà di linguaggio che ne deriva è il vostro segno caratteristico.

SDF *A che cosa punterete in futuro: all'innovazione del design del servizio o del prodotto? Tecnologie interattive, energie rinnovabili, arte e design, prodotti human centered?*
JSD Quello che ci interessa maggiormente, come azienda attiva nel design del servizio ma anche del prodotto, è lo sviluppo del rapporto tra comunicazione e trasporti. Torniamo pertanto alla nostra origine, cioè la mobilità vista sotto il profilo del tempo che i trasporti mettono a disposizione dell'utente: un'occasione per informare e imparare. Decaux deve ripensare a come le città e le regioni (ci interessa anche l'alta velocità) possono accompagnare il loro processo nell'evoluzione della mobilità. A come il tempo possa essere sfruttato meglio, nell'ambito di un viaggio più agevole e confortevole.

SDF *E l'arte?*
JSD Abbiamo intrapreso progetti con artisti: in Italia ad esempio con Pomodoro, chiedendogli una riflessione sugli oggetti di pubblica utilità. Qualcosa di simile l'abbiamo visto nelle vostre proposte per un'arte urbana pedonale. Proposte curiose,... come quella per Torino in cui il corso G. Ferraris diventa la passeggiata che connette luoghi d'arte istituzionali (dal Passante Ferroviario alla GAM) attraverso opere a piccola scala che dialogano e talora si sostituiscono all'arredo urbano funzionale. Ci fanno capire che anche una passeggiata è un esempio di mobilità e come i luoghi di attesa e di passeggio possono diventare luoghi di interesse. È una riflessione a cui tengo molto.

SDF *Decaux propone servizi e prodotti mai disgiunti. Prodotti comunque di alta qualità, per design e costruzione. È una risorsa spendibile anche sul mercato dei prodotti di AU?*
JSD No, Decaux si è sempre distinto dai produttori di arredo urbano. Per noi l'obiettivo di un prodotto è che questo possa veicolare il messaggio di grandi gruppi, Telecom piuttosto che Fiat o Dior. Marchi prevalentemente interessati alla comunicazione nelle grandi città, nei territori a scala metropolitana; clienti che richiedono non solo prodotti belli e sobri ma anche che siano mantenuti dignitosamente nel tempo. I grandi marchi non vogliono essere associati ad impianti pubblicitari arrugginiti o di mediocre design; né tantomeno di design troppo caratterizzato, che rischierebbe di disturbare la lettura del "loro" messaggio.

SDF *Guardando al mercato dei prodotti di AU a noi sembra molto cambiato in questi anni: è certamente più colto, anche se meno vitale di un tempo.*
JSD Anche le aziende di produzione seriale di AU hanno dovuto fare i conti con la cultura della caratterizzazione, fornendo due risposte: da un lato, prodotti nati da commesse specifiche che riguardano una città, un territorio, un progetto mirato. Se il progettista è bravo, ...e questa mi sembra essere anche la vostra storia..., il prodotto avrà quelle caratteristiche che lo potranno rendere esportabile in altre situazioni. Dall'altro, per evitare la concorrenza, le aziende di settore si sono specializzate nella tipologia: chi fa illuminazione non fa raccolta rifiuti, chi fa elementi per la sosta non fa comunicazione. Sono orientamenti che dimostrano la maturità di un settore che è stato capace di darsi nuove regole per ovviare al declino.

Conversation with Jean-Sébastien Decaux

SDF "A building is a building, two buildings make a city", that is what the British critic Gordon Cullen wrote in the late Fifties about the townscape. Shortly after, Decaux would transform UD, an element of the townscape, into a service, thus inventing the business according to which facilities are given to the community in exchange of the exploitation of part of the advertising space integrated with it.

JSD Like Cullen held the view a building was a building, much in the same way, at the outset, to Decaux a building was a shelter: functional and well designed. But, from the very beginning, it was crystal-clear that we valued working on the notion of system so that UD was not only about bus shelters but also signage, information, public conveniences, dustbins,... A wide-ranging scenario of objects designed to provide a service and which, all together, began to impact on the townscape.

SDF "Sponsored" UD soon occupied the most strategic and delicate locations of the city without addressing the environmental impact. In 1974, in fact, Casabella's headline to a theme issue read: "In-urban design".

JSD True, personalising objects had grown into a deeply felt need which, as of the Eighties, modified also our approach to the service we had invented. We responded by having interventions personalised by foremost names; yet our goal did not aim at protecting ourselves by resorting to "signature names", but basically because we held the view the solution resided with the equivalence: great names = great experts, namely designers able to figure out an appropriate solution to the facility design and to its correct placement. A major turning point, as it was the case with Norman Foster after the mid Eighties, whom we asked to design a collection of urban design facilities for Paris: something that was to get across the union between public utility and the "city-making" concept, based on a design nothing but dull.

SDF "Ad hoc" projects came into being generating objects which, subsequently, the market presented as mass-produced, therefore susceptible of being reproduced in other contexts as well. Have you experienced the same?

JSD There are two schools. Cities demanding highly customised elements, others which prefer having branded elements tested by other important cities, even though a bit generic against the local context. For instance, in the early Nineties Prague aimed at being one of the first Eastern European cities fitted with urban design facilities. Prague prided itself on hosting a proven collection like the one designed by Foster for Paris. Whereas Paris had wanted a collection of its own but, all things considered, it was happy about other cities adopting the same urban design facilities. An actual benchmark.

SDF "Less is more" is the claim whereby in the Eighties the Studio would open the conferences dealing with the townscape theme. Does it still apply?

JSD I would say... first "you take out and then you add".

SDF An entrepreneur's statement.

JSD I do not want to be misunderstood. I think that yours has been the typical Italian alarm. And De Ferrari had better further stress this concept which, except for smaller towns, does not seem to be equally shared, approved of. But let me tell you what I mean. French Decaux facilities have always been welcomed smoothly in conservative countries like Belgium, Great Britain and Scandinavia because our products replace other old-fashioned urban facilities. The same does not hold true for Italy, where the Italians seldom make sure they implement the "less is more" concept. Likewise, Italy ranks bottom in Europe in understanding that the service we propose also provides for management and maintenance of the UD facilities.

SDF Why have you spontaneously come over?

JSD *For the reasons mentioned above. Decaux today seeks a personalised approach to the city. Turin, rich in industry and design: it has only come natural coming up with an UD concept with a strong identity of its own celebrating those values. We have identified it with you. We have thought this was an architecture practice living in the city and in the street… it's a saying that applies by us…and in the project/research it has played a key role in the redevelopment of a great many Italian urban sites. Industrial designers who behave consistently as well as with a bit of contrast which the French like.*

SDF In this regard, at the outset of every new design experience, we ask ourselves a question: contrast, adjustment, neutrality?

JSD *I hope I am not wrong: you act by contrast. Or, to put it better, between adjustment and contrast. In reality, you can adjust by gaining standout anyway. And to a company like ours, which is representative of very important clients, it is necessary standing out, though shunning any form of eccentricism. That is why we have chosen you as our design partners for Turin. Of course the diversity of your interventions, meant by theme and scale, is one of your most impressive features. Furthermore, your architecture is never for the sake of it; it sets forth an opinion, especially of the place. The variegated language that ensues is your distinctive sign.*

SDF Turning our attention to your aims for the future: service or product design innovation? Interactive technologies, renewable energies, art and design, human-centred products?

JSD *As company actively operating in the design of services as well as of products, we are mostly interested in developing the relationship between communication and transports. We therefore go back to our origins, namely mobility viewed from the point of view of time which transports offer to the usership: an opportunity for informing and learning. Decaux must rethink how cities and regions (we are also interested in high speed) can keep up with the evolution process of mobility. How to optimise time, in view of a smoother, more comfortable journey.*

SDF And what about art?

JSD *We have undertaken a number of projects in collaboration with artists: in Italy, for instance, with Pomodoro by asking him to make some considerations on public utility objects. We have seen something similar conveyed by your work on pedestrian urban art. Interesting concepts,… like the project for Turin where boulevard G. Ferraris becomes the promenade connecting institutional art sites (from the Underground Railway Link to GAM) through small-scale works entertaining a dialogue with, and sometimes replacing, functional urban design. They make us understand that a promenade, too, is an example of mobility and how stops and strolling places can be sites of interest. It is a reflection I really cherish.*

SDF Decaux never offers disconnected services and products. Anyway, high-quality products in terms of design and workmanship. Is this resource applicable also to the market of UD products?

JSD *No, Decaux has always distinguished itself from urban design manufacturers. In our view, a product's goal resides with its ability to get across the message of large companies, be it Telecom, Fiat or Dior. Brands mostly interested in communication in big cities, in places on a metropolitan scale; clients who do not ask exclusively for appealing, understated products but also with a dignified life cycle. Leading brands do not want to be associated with rusty or cheap design advertising facilities; nor far too distinctive design which might compromise the understanding of "their" message.*

SDF When we look at the market of UD products, we find it has dramatically changed in recent years: for sure it is more refined, even if less vibrant than in the past.

JSD *Mass-produced UD manufacturing companies too have had to reckon with the culture of distinctiveness, by providing two answers: on one side products born from specific contracts aimed to a city, a territory, a given project. If the designer is skilled,… and I believe this is also your case…, the product is going to have the features that will make it fit of being applied to other contexts. On the other side, in order to fight the competition, companies working in this industry have specialised: those making outdoor lights do not make dustbins, those making resting facilities do not make communication. It is trends that show the maturity of an industry that has been able to comply with new rules to ward off decline.*

15

Giovanni Durbiano,
architetto, docente di Composizione
architettonica

Ha pubblicato:
I Nuovi Maestri. Architetti tra politica e cultura nel dopoguerra, Marsilio Venezia, 2000.
Paesaggio e architettura nell'Italia contemporanea, Donzelli, Roma, 2003 (con M. Robiglio).
Torino, 1980 - 2011. La trasformazione e le sue immagini, Allemandi, Torino, 2006 (con A. De Rossi).

Conversazione con Giovanni Durbiano

SDF *Architetti professionisti/professori: un modello ancora attuale per la società?*
GD Oggi, i professori di "successo" non sono gli architetti di "successo" e viceversa; questo almeno in Italia. Non so se attribuire genericamente alla società questa realtà che forse dipende più da posizioni accademiche, che io comunque non condivido. Nelle facoltà di architettura, la strutturazione sempre più forte dell'istituzione accademica ha portato a rivendicarne l'autonomia rispetto al mondo esterno. Stranamente, perchè negli ultimi dieci anni tutti siamo andati in una direzione di maggiore integrazione tra i luoghi del sapere e i luoghi del fare, consapevoli della necessità di relazionarsi concretamente con la realtà sociale, culturale e del mercato. Il problema è drammatico, soprattutto per l'università: se il mondo può procedere anche senza professori, i professori non dovrebbero però fare a meno del mondo.

SDF *Questo per l'architettura. E per il disegno industriale?*
GD Con tutta la mia franca "disattenzione" verso il disegno industriale, credo che nella nostra facoltà di Torino, questa disciplina dimostri ogni giorno come formazione universitaria e realtà industriale traggano indubbi risultati dall'integrazione. Ciò che ha anche contribuito a farci aprire gli occhi sulle logiche apparentemente perverse del mercato: vedi i tempi capestro, la rincorsa della committenza ed altri aspetti che si chiamano comunque "mondo". Vorrei che l'architettura fosse capace di avere la stessa attenzione.

SDF *Nel nostro Studio, due soci sono anche docenti universitari dell'area del disegno industriale, il cui approccio "metodologico", di matrice politecnica, influenza e talora guida i processi decisionali del progetto professionale.*
GD Da architetto "tradizionale" mi sento molto distante da questo approccio. Leggo nella varietà dei vostri lavori, quella ricerca della misura della prestazione che è in asse con la cultura prestazionale di Giuseppe Ciribini, così distante dalla scuola di pensiero architettonico, Roberto Gabetti e Aimaro Isola in primis, in cui io mi sono formato. Con questo non rinnego la metodologia, che vorrebbe dire non avere responsabilità di un processo complesso. E giudico anche sorprendente il risultato del vostro processo analitico che vi consente di gestire una mole di lavoro di grande impegno in un tempo così limitato. Sempre affettuosamente, dovrei esserne anche un poco invidioso...

SDF *Quale è allora l'aspetto critico della nostra metodologia?*
GD Il limite della metodologia prestazionale è quello di delegare ad una procedura la responsabilità di una scelta. Per me, invece, la responsabilità dipende dal giudizio collettivo o individuale che si esprime davanti ad un problema specifico. Il mio concetto di metodologia prevede un approccio gerarchico ai problemi secondo un ordine che può anche cambiare a seconda del progetto e della situazione ma che richiama sempre alle questioni di fondo.

SDF *E quali sarebbero le questioni di fondo?*
GD La condivisione di una idea di architettura. Prendiamo ad esempio Aldo Rossi. Prima devi diventare aldorossiano, quindi sarai partecipe di una visione del mondo e dell'architettura; poi potrai applicare ciò che hai capito e nel suo caso anche in modo facile, data la semplicità intuitiva degli stilemi rossiani.

SDF *Per noi, quella "visione del mondo" a cui fai riferimento, si esprime attraverso un progetto consapevole delle tre forze in gioco: cliente, ambiente, utente.*
GD Ambiente. Avete intitolato il libro precedente "I luoghi e il progetto". Non attribuirei a nessun bravo architetto l'invenzione dell'attenzione al luogo, perchè credo che il luogo sia un concetto fondamentale e condiviso da tutta la buona architettura. Casomai è l'interpretazione del luogo che

fa il distinguo: la cosa su cui i giudizi, forniti da diversi bravi architetti, sarebbero contrastanti. Non c'è luogo senza situazione ma nemmeno il contrario, in architettura. Anche l'epoca interviene nel giudizio: un progetto fatto nel 1991 dovrebbe essere diverso da uno fatto nel 2001. Pertanto, esiste solo l'occasione presente, che comprende e coinvolge tutti gli altri elementi in un unico processo di giudizio.

SDF Cliente, ambiente, utente: tre parole chiave che hanno facilitato la nostra ricerca progettuale, talora abbreviandone anche i tempi. È una delle forze del metodo.
GD Un metodologo ortodosso procede su binari procedurali con il rischio di sfuggire da un lato alla sperimentazione, dall'altro al "mistero" che avvolge qualsiasi buona architettura. Guardiamo all'opera di Elio Luzi, la cui scomparsa lascia un grande vuoto nell'architettura torinese. In parte, il lavoro di Elio per me è un modello "di mistero". Architetto eclettico e stravagante al limite della riconoscibilità; architetto liberale, sperimentatore della propria libertà individuale. Senza metodologia e dogmi ha regalato alla collettività edifici gioiosi per chi li abita e per chi vorrebbe andarci ad abitare, cioè tutti. Non ho mai sentito dire il contrario.

SDF Talora capita anche a noi di riguardare alle nostre opere e leggerci un certo eclettismo. Un linguaggio che è forse il risultato della mediazione tra "cliente, ambiente, utente".
GD Sicuramente. La scomposizione di un problema complesso in tanti più piccoli, porta in architettura ad un linguaggio che è la somma di tante specifiche prestazioni, per cui cambia a seconda delle quantità in gioco. Ricordo che una volta un ben noto ingegnere, in un incontro conviviale con un ben noto architetto, disse che un professore gli aveva insegnato ad affrontare la complessità scomponendola in parti minori, dunque più semplici da risolversi. E l'architetto rispose: "Fai così anche con la vita?". Era un chiaro riferimento alla necessità di un approccio complessivo e inscindibile.

SDF E tu consideri l'architettura sullo stesso piano della vita?
GD Non in valore assoluto, ma come sistema sì. Riflettendoci, però, l'espressività eclettica in cui vi riconoscete è anche uno degli aspetti più stimolanti, talora spiazzanti, che emergono dalla lettura del vostro lavoro; e che mi rendono curioso al debutto di ogni vostra opera. Quei tetti degli edifici in progetto a Casale Monferrato, ad esempio: allo stesso tempo così elementari nelle singole geometrie e così complessi nell'inedito risultato compositivo complessivo: un vero re-design del tradizionale tetto a falde. E la tecnologia resa così familiare, così umanizzata nell'Ospedale Valdese in via Pellico. Fino al Centro commerciale di Cosenza, in cui felicemente convivono due anime: quella austera del Castello Svevo affidata al lunghissimo edificio in tufo, così sottile da sembrare un muro e quella leggiadra, quasi frivola, delle vetrine, con quegli alberi "tecnologici" così ironici. Cose che non ti aspetti da un positivismo metodologico.

SDF Nel nostro Studio, la condivisione è un aspetto che riguarda non solo il metodo di progetto ma anche i criteri di gestione e di organizzazione dell'attività professionale.
GD Ecco, questa è una considerazione che mi dà modo di chiarire anche il vostro rigore metodologico. La vostra struttura professionale non sarà inedita nel modello (il professore e i suoi giovani laureati) ma sicuramente lo è nella longevità. Un raro esempio di studio/famiglia in cui non solo tutto è condiviso, dagli spazi fisici ai concept di progetto, ma tutti disegnano, scrivono e parlano allo stesso modo. Anche il senso dello humor ha risvolti comuni. Nell'avviare questo Studio credo che l'uomo storico del gruppo (De Ferrari senior) abbia voluto ricostruire, sulla scorta della propria personale esperienza degli anni '60 e '70, un'utopia di lavoro di gruppo e di condivisione sociale, prima che una struttura professionale. La sua è una figura straordinaria che, come ho avuto modo di constatare più volte, ti contagia con l'energia umana, la curiosità, la tolleranza. Caratteristiche uniche, difficilmente individuabili ed associabili ad un leader di gruppo. A cui, non solo il lavoro in team ma la metodologia appare un eccellente strumento democratico per valorizzare e accelerare la condivisione del progetto. Tant'è che, se non vado errato, Giorgio presentava se stesso nel primo libro come "capo di un gruppo senza capo".

Conversation with Giovanni Durbiano

SDF Professional architects/professors: does this model still apply in present time society?

GD Today, "successful" professors do not coincide with "successful" architects and viceversa; at least in Italy. I do not know whether this situation can be generally ascribed to society for, may be, it is more strictly driven by academic stances which, however, I do not agree with. At faculties of architectures, the increasingly stronger structure of academic institutions has driven to claim its autonomy versus the outer world. Quite odd when we think that, over the past decade, we have all moved in a direction of greater integration between the sites of knowledge and the sites of doing, aware of the need to take a matter-of-fact approach to the social, cultural and market scenario. It is a dramatic problem, above all when we consider university: if the world can keep going without professors, on the other hand, professors should not do without the world.

SDF This applies to architecture. And what about industrial design?

GD Admitting my honest "negligence" of industrial design, I believe that at the faculty of Turin, this discipline provides on-going evidence that the university training and the industrial world mutually benefit from integration. Which has also contributed to making us aware of the apparently twisted market logics: such as timing traps, the chase after clients and other issues that go, anyway, by the name of "world". I wish architecture showed the same attention.

SDF In our practice, two of the partners are also university professors at the industrial design department, the "methodological" approach of which, reflecting a polytechnic vocation, influences and, sometimes, directs the decision-making processes of professional projects.

GD As "traditional" architect, I feel far away from this approach. Looking at the variety of your projects, I perceive the pursuit of that extent of performance which is in line with the performing culture of Giuseppe Ciribini, so far away from the architectural stream of thought, Roberto Gabetti and Aimaro Isola first of all, which has inspired my background.
I do not mean I repudiate the methodology, which would be equal to saying one is not responsible for a complete process. And I also find the outcome of your analytical process, which allows you to handle a challenging bulk of work in such a short timeframe, really surprising. Frankly, I should also be a bit jealous...

SDF What is, then, the critical side to our methodology?

GD The weakness of the performance-focused methodology resides with trusting the responsibility of a choice with a procedure. As far as I am concerned, instead, responsibility depends on the collective or individual judgement passed faced with a specific problem. My personal notion of methodology envisages a hierarchic approach to problems according to an order that may well change depending upon the project and the situation but always in keeping with the underlying principles.

SDF What do you mean by underlying principles?

GD Sharing an architecture idea. Let us take Aldo Rossi for instance. First you have to become an Aldo Rossi follower, then you subscribe a world and architecture outlook; subsequently you will be able to implement what you have understood and, in his case easily too, given the intuitive simplicity of Rossi's standards.

SDF To us, the "world outlook" you refer to is expressed through a project aware of the three players at stake: client, environment, user.

GD Environment. You have called your previous book "Sites and design". I would never acknowledge any good architect with having introduced the attention to the site, because I believe that the concept of site is an all-important one, shared by all the good architecture. At most, the inter-

pretation of the site makes the difference: the aspect about which the judgements delivered by different good architects would be contrasting. In architecture, there is no site without situation nor the opposite. Also time intervenes in passing a judgement: a project accomplished in 1991 should differ from one accomplished in 2001. Therefore there exists only the present occasion which encompasses and involves all the other elements in a single judgement process.

SDF Client, environment, user: three key words that have made our design research easier, at times even contracting timing. It is one of the strengths of the method.

GD An orthodox methodologist works along procedural tracks with the risk to escape experimentation, on one side, the "mystery" shrouding any good example of architecture, on the other side. Let us take a look at the work by Elio Luzi, whose death has left an unbridgeable void in Turin architecture. To me Elio's work is partly a "mystery" model. An eclectic, extravagant liberal architect, experimenter of his individual freedom. Without methodology and tenets, he has given buildings to the community making the people living there happy and making everyone else want to live there, namely everyone. I never heard anyone claim the opposite.

SDF Sometimes we also happen to look back at our works and sense a sort of eclecticism. A language that is probably the outcome of the mediation between "client, environment, user".

GD For sure. When it comes to architecture, the breakdown of a complex problem into several smaller ones, produces a language which is the sum of a great many specific performances, so that it changes depending on the amounts at stake. I recall that a well-known engineer, during a leisure meeting with a well-known architect, once said that a professor had taught him to face complexity by breaking it down in smaller parts, therefore easier to tackle. And the architect replied: "Do you do the same with your life?". He clearly referred to the need for a global, all-encompassing approach.

SDF And do you consider architecture on the same footing as life?

GD Not as an absolute value, but definitely yes as a system. If you think over it, the eclectic expressiveness you identify yourselves with is also one of the most stimulating, sometimes bewildering, aspects surfacing from the analysis of your work; and which arouses my curiosity every time a new work of yours is born. The roofing of the buildings at Casale Monferrato, for instance: extremely simple with their single geometries and, at the same time, extremely complex when we consider the unusual result: a true re-design of the traditional pitch roof. And technology being made so familiar, humanised in the Waldensian Hospital in via Pellico. Up to the shopping mall of Cosenza, where two souls successfully live together: the austere soul of the Suevian Castle trusted with the extremely long tufa building, as thin as to resemble a wall, and the graceful, nearly flippant one, of the windows, with the overtly ironical "technological" trees. Things you would never expect from a methodological positivism.

SDF In our practice, sharing is an aspect that concerns not only the design method but also the management and organisational criteria of the professional activity.

GD That is it. This is a consideration that gives me the opportunity to clarify your methodological rigour as well. Your professional structure might not be new as to the model (the professor and his young graduates) but for sure it is in terms of longevity. A rare example of practice/family where not only everything is shared, from the physical space to the design concepts, but everybody draws, writes and speaks exactly in the same way. Also the sense of humour reveals a number of similarities. I believe that in setting up this architecture practice, the founder of the team (De Ferrari senior) has wanted to reproduce, based on his personal Sixties and Seventies experience, a work team and social sharing utopia, rather than a professional structure alone. His is an extraordinary figure who, as I have had the chance to notice on past occasions, infects you with human energy, curiosity, tolerance. Unique characteristics, hardly to be found and to be associated with a team leader. In whose view, not only the team work but the methodology itself stands out as an excellent democratic tool to enhance and accelerate the sharing of the project. Indeed, if I am not wrong, in the first book published, Giorgio described himself as "head of a head-free team".

Conversazione con Fabrizio Jacobacci

Fabrizio Jacobacci, avvocato, consigliere d'amministrazione della Jacobacci & Partners S.p.A.

Jacobacci & Partners è la più grande società italiana, ed una delle più grandi in Europa, specializzata nella protezione legale e difesa di proprietà.

Jacobacci & Partners is the largest Italian company, and one of the largest in Europe, specialising in legal protection and property defence.

SDF *Nel rapporto tra architetto e cliente, l'architetto per definizione ha il compito di rendere "materica" l'immagine del committente.*

FJ È un rapporto che varia con la natura del cliente. Normalmente, il cliente si affida al professionista in ragione della fiducia nelle competenze che questi abbia per realizzare gli obiettivi preposti. Se poi il cliente è illuminato, cercherà di contribuire e di guidare il professionista nello sviluppo delle strategie per raggiungere gli obiettivi, lasciandogli lo spazio per sceglierne metodi e modi. Nel nostro caso, si è lasciato scegliere a voi il modo migliore per raggiungere il traguardo; con un risultato che giudico molto positivo. Credo che questa sia la via migliore per valorizzare la creatività.

SDF *Nell'esperienza della vostra nuova sede, più volte ci siamo domandati quanto le nostre proposte avessero colto l'immagine e lo spirito della vostra azienda.*

FJ La sede è sempre stata il primo biglietto da visita della nostra società. Volevamo un palazzo che fosse specchio del nostro modo di essere e di presentarsi al cliente, quindi una soluzione che desse una immagine di efficienza e di cura del dettaglio, ma senza ostentazione. Questo risultato è stato conseguito coerentemente con la filosofia che ispira il nostro modo di lavorare.

SDF *Oggi, molti architetti dello star system impongono la propria espressività al cliente come fosse "marchio di fabbrica": dell'architetto però, non del cliente. Allo stesso modo, alcuni amministratori rincorrono una architettura esclusivamente di rappresentanza. In altre parole, un prodotto architettura considerato "merce", in cui il progetto, che si vorrebbe coerente, sensibile, sostenibile ed anche originale, è l'ultimo valore considerato. Come Studio abbiamo percorso una strada opposta, a nostro modo più professionale: interpretare ogni singola situazione in funzione del target coinvolto (cliente, ambiente, utente).*

FJ C'è il rischio di cadere vittima dello star system, quindi di inseguire il prodotto piuttosto che il servizio e di concepire un prodotto che non interpreta l'immagine del cliente, diciamo... per mancanza di tempo. Le star, proprio in quanto tali, hanno molti incarichi e poco tempo a disposizione: quel tempo che sarebbe richiesto per capire a fondo le esigenze del cliente. È vero che a ciò dovrebbe sopperire la struttura, i collaboratori, ma questa, desumo anche dalla mia esperienza professionale, lavora efficacemente se è chiamata a riprodurre un modello già collaudato. Si prefigura pertanto un altro rischio: quello della ripetitività.

SDF *Modifichiamo il punto di vista: grande cliente, grande professionista. Ci sarà sicuramente un ritorno per il cliente che sceglie un grande professionista. Se non altro perchè queste combinazioni sono pane quotidiano per i media.*

FJ È un atteggiamento che condivido solo in parte. Non bisogna confondere tra grandi professionisti e grandi clienti. Se esistono grandi clienti non è detto che questi si accompagnino sempre e solo a grandi professionisti. E il professionista che lavora per il grande cliente non è ipso facto un grande professionista. Anche nel mio ambito professionale, si parla di grandi avvocati, ma si dimentica che esistono grandi clienti che possono di riflesso fare grande l'avvocato... Prendiamo il nostro caso: la sede di Jacobacci & Partners. È un'operazione che io considero di successo perchè partiva dal riconoscimento di ruoli precisi tra le parti, committente ed architetto, e si è sviluppata nel rispetto delle proprie conoscenze.

SDF *Questo perchè voi siete una società molto nota nel campo industriale ma non aggressiva dal punto di vista dello star system; siete professionisti, ma non divi.*

FJ È vero. Nel nostro settore, protezione legale e difesa di proprietà, campo molto professionale perchè in quotidiano contatto con realtà industriali complesse, poco inclini all'effimero e al superficiale, la mia esperienza dice che essere noti conta, ma ciò che conta di più è la costruzione di rapporti solidi con i clienti. Ciò rappresenta una garanzia per l'aprirsi di nuovi rapporti. Per noi conta di più il passaparola fra clienti che non la voce rumorosa dei media. Poi, nel nostro caso, abbiamo anche una tradizione storica, da offrire e da difendere. Mi rendo conto che questo può apparire un approccio antiquato al mercato, ma vi assicuro che è ancora efficace; anche efficiente, se consideriamo che gli obiettivi vengono raggiunti con risorse economiche molto contenute... il che non guasta.

SDF Un altro aspetto che ci interessa è quello del ruolo sociale dell'architettura, sovente dimenticato dai progetti dello star system. Nella sede di Jacobacci & Partners abbiamo cercato di tenere sempre in alta considerazione che un luogo di lavoro che ospita più di 300 persone richiede un progetto "onesto" che sia in grado di valorizzare sia la struttura collettiva sia il singolo. La scelta di creare open space commisti ad uffici privati comunque molto trasparenti ed integrati ad un unico modello di allestimento va in questa direzione.
FJ Importantissimo. Il progetto che incide è quello che riflette l'anima di chi lo abita. Credo molto nell'approccio democratico, soprattutto quando, come nel nostro caso, non si è avvalso di modelli demagogici. Questo indirizzo, se ricordate, l'abbiamo posto noi, fin dalle prime riunioni di brief. La prima condizione richiedeva che l'impatto della proposta dovesse essere aderente alla filosofia di chi lo abita. Un modello sartoriale su misura, né ostentativo, né understatement. Fra l'altro noi riteniamo che una sede sbagliata possa ritorcersi come un boomerang sull'azienda, in particolare in quei casi, rari ma comunque possibili, di problemi tra la nostra azienda e i nostri clienti. Sapete, noi siamo avvocati...; la sede dissonante può essere un motivo in più per il cliente per ricordare una esperienza negativa. La seconda condizione richiedeva che le soluzioni progettuali potessero essere recepite facilmente e soprattutto condivise dall'intera struttura aziendale, che da noi è molto articolata (dirigenti, professionisti, operativi,...). Anche questo risultato mi sembra sia stato raggiunto.

SDF Anche se qualche vostro collaboratore ha detto: "...qui non muove foglia che l'architetto non voglia"?
FJ Noi lavoriamo come in una officina, cioè con molte condivisioni. Lavorare in una bella officina contribuisce al risultato professionale dell'intera struttura? Io ritengo di sì, perchè quando lo spazio è confortevole, su misura e condivisibile, ci si sente a proprio agio. L'ho sentito dire anche dai miei collaboratori. Credo poi, che qualche regola generale vada rispettata. La nostra struttura ha recepito con grande interesse le regole culturali che ci avete proposto, anche se magari qualcuno necessita di un tempo maggiore per assimilarle. Ma è come la questione dell'informatizzazione, vi ricordate? Pensavamo che nella nuova sede un fatto di innovazione fosse avere meno carta e più archivio elettronico, cioè: meno spazi occupati da ingombranti armadi, meno peso, meno costi. Queste sono in sintesi le regole di un futuro sostenibile a cui non possono sottrarsi i nostri uffici; regole che, a parole, tutti condividiamo, anche se poi attuarle comporta un adeguamento di pensiero e comportamentale non da poco.

SDF L'aspetto economico dell'opera è un'altra delle grandi incognite della professione dell'architetto: nelle opere pubbliche, stabilito all'inizio dell'iter progettuale, non potrà più variare. Il che favorisce la programmazione, ovviamente. Nelle opere private, esiste qualche margine, sempre che il professionista non ne abusi. Nel caso della sede Jacobacci & Partners non abbiamo avuto incrementi. Ma se ci fossero stati?
FJ Nelle opere private, il budget deve essere predisposto con grande attenzione da parte del committente, che deve rispettare i bilanci. Poi, personalmente credo che il cliente illuminato possa prevedere una quota ad incremento se si tratta di migliorare alcune cose che si ritengono fondamentali nella realizzazione di una proposta che si ritiene avvincente. L'entusiasmo, ovviamente senza eccessi, è ciò che giustifica certi investimenti. Se questo manca, cade il presupposto dell'investitore. È quel margine che giustifica la creatività. Vale per gli architetti, ... ma anche per gli avvocati.

SDF In the relationship between architect and client, by their very nature, the architect is trusted with "texturising" the client's image.

FJ It is a relationship that varies based on the client's nature. As a rule, the client trusts the professional in the light of the confidence in his/her competence in reaching the set goals. If, the client, then, is far-sighted enough, they will try to contribute and direct the professional in developing the strategies required to the fulfilment of the goals, while leaving methods and criteria up to the architect. In our case, we have let you choose the best way to reach the goal; with outcomes that I judge extremely positive. I believe this is the best way to go for enhancing creativity.

SDF Upon addressing your new head offices, we have often wondered to what extent our propositions had succeeded in capturing the image and spirit of your company.

FJ The number one business card of our company has always identified with the head offices. We wanted a building mirroring our identity and approach to the client, therefore a solution getting across an image of efficiency and care of details, yet shunning show-off. This result has been reached in keeping with the philosophy inspiring our working method.

SDF Today, many architects in the star system impose their expressiveness to the client like it were a "trademark": the architect's, not the client's. Much in the same way, there are administrators running after merely representative architecture. In other words, an architecture product considered "merchandise", the design of which, they also would like to be consistent, sensitive, sustainable and different as well, is the bottom value considered. As architecture practice we have moved in the opposite direction, in our view more professional: interpreting every single situation depending upon the target involved (client, environment, user).

FJ The risk to fall prey of the star system is round the corner, therefore chase the product rather than the service and come up with a product which does not celebrate the image of the client, let us say…due to lack of time. Stars, as such, have lots of contracts and little time ahead: right the amount of time that would be necessary to deeply understand the client's needstates. It is as true that the studio itself, the collaborators should be up to it but I assume that, also based on my professional experience, they work effectively if asked to reproduce a model of proven success. Therefore another risk looms: repetitiveness.

SDF Let us look at things from a different perspective: great client, great professional. For sure the client choosing a foremost professional will have something in return. If anything, because these combinations are the bread and butter of the media.

FJ It is an attitude I agree with only to a given extent. We must not mistake between great professionals and great clients. If there exist great clients, it does not necessarily mean they rely always and exclusively on outstanding professionals. And the professional who works on behalf of great clients, is not automatically an outstanding professional. In my professional environment, too, there is much talk about great lawyers, but it is often neglected there are great clients who indirectly make the lawyer great... Let us take our example: the head offices of Jacobacci & Partners. It is a successful project because it was grounded on the acknowledgement of precise roles between the parties, client and architect, and has been developed in the utmost respect of the party's respective knowledge.

SDF This has been possible because you are a leading company in the industrial scenario but not aggressive from the star system point of view; you are professionals but not stars.

FJ It is true. In our market, legal protection and property defence, a highly professional domain as, every day, we are faced with complex industrial circumstances, poorly focused on superficial matters, my personal experience has taught me that renown matters, but what matters most is establishing a solid relationship with the client. What may ensure the creation of new relationships. We value more word of mouth among clients than the loud opinion of the media. On top of this, we also have a long-standing background to offer and defend. I realise that it may be perceived as an old-fashioned approach to the market but I can assure you it still proves effective and efficient too when we consider that goals are reached with very tight economic resources…which is not bad.

SDF Another aspect we value is the social role of architecture, often neglected by the star system projects. As for the head offices of Jacobacci & Partners, we have always tried to bear in mind that a workplace hosting over 300 people needs a "honest" project able to enhance the collective structure as well as the individual. The choice to create open space areas together with highly transparent private offices integrated with a single design pattern moves exactly in this direction.

FJ Absolutely important. A punchy project is one reflecting the soul of the people inhabiting it. I firmly believe in the democratic approach, first and foremost when, as in our case, it has not resorted to demagogic models. If you remember, these have been the guidelines we had set forth since the very first brief meetings. The top priority identified envisaged that the impact of the project was to comply with the philosophy of the people it addressed. A tailor-made model, neither showing off nor understated. In addition, we believe that wrong headquarters may boomerang on the company, in particular when, seldom but still likely to happen, our company may be faced with problems in terms of clients. You know, we are lawyers…; an off-putting practice may be one more reason for the client to recall a negative experience. The second top condition required that the design solutions were to be easily understood and, above all, approved of by the entire corporate structure which, in the case in point, is extremely multi-faceted (executives, professionals, office clerks,…). I think this is a further result having been achieved.

SDF Even if a few collaborators claimed: "…here when the architect wills, all winds bring rain"?

FJ We work like in a workshop, namely based on on-going sharing. Does working in a pleasant workshop contribute to the professional achievement of the entire structure? I personally think so, because when the space available is comfortable, tailor-made and fit for sharing, everybody feels at ease. I heard my collaborators say exactly the same. Then, I believe a few overall rules demand compliance. Our structure has shown a great deal of interest in the cultural rules you have submitted to us, even if, may be, some people need longer to make them their own. But it is exactly like the IT process, do you remember? We thought that in the new head offices innovation would imply a reduction of paper and a greater electronic filing, that is to say: less floor space occupied by bulky cabinets, fewer costs. In a nutshell, these are the rules of a sustainable future our offices necessarily have to comply with; rules that, in theory, we all share, even if their implementation implies challenging adaptation in terms of thinking and behaviour.

SDF The economic issue of work is another key enigma of the architect trade: when it comes to public works, set upfront, it cannot change. Which, needless to say, makes planning easier. But when we consider private works, there are a few margins, provided the professional does not deliberately take advantage of it. In the case of Jacobacci & Partners head offices we have not had any increases. But what if this had been the case?

FJ When it comes to private works, the client has to carefully set the budget upfront as it has to be in keeping with the accounts. Personally speaking, I believe that a far-sighted client should reckon with an extra cost if it is a matter of improving a few things rated fundamental in the implementation of a project considered captivating. Enthusiasm, of course without extremes, is what justifies some investments. If that is not the case, the investor's assumptions fall short of. It is exactly the margin justifying creativity. It applies to architects …and to lawyers too.

Paolo Verri

organizzatore culturale, già direttore del Salone del Libro e dell'Associazione Torino Internazionale.

Cultural promoter, former director of the Book Exhibition and of Turin International Association.

Conversazione con Paolo Verri

SDF *Per una città come Torino, che il nuovo Piano Strategico definisce metropoli in forte affermazione sul piano internazionale, quanto conta il riferimento allo star system degli architetti?*
PV Nella discussione del Piano Strategico, negli anni '98 e '99, ci si era chiesto se puntare su un modello chiuso e di eccezione, tipo Bilbao con Gehry, su un modello aperto di diffusione della qualità architettonica. È prevalso il secondo indirizzo, motivato dal fatto che Torino presentava un'identità diversa, fortemente storicizzata rispetto a Bilbao.

SDF *Anche se, nel frattempo, personaggi dello star system hanno comunque firmato o realizzato progetti importanti per la città.*
PV Torino non ha mai veramente cercato la star e le poche volte che lo ha fatto non è andata così bene. Magari non per colpa dell'architetto ma piuttosto perchè, cosa di cui la città deve assolutamente liberarsi, diamo alle nostre ambizioni un'applicazione assolutamente riduttiva. Guardiamo lontano senza però riuscire ad entrare in sintonia con le grandi opere, con quanto è speciale. Il caso dell'edificio mercatale di Fuksas in Piazza della Repubblica è emblematico. Non si può dire che fosse un brutto progetto, si può invece dire che con quell'intervento si è stati troppo sbadati, considerandolo uno dei tanti cantieri quotidiani.

SDF *Quindi sarebbe inattuale adesso cambiare rotta rispetto a quanto deciso alla fine degli anni '90.*
PV Certamente, credo che il futuro della trasformazione urbana, se parliamo di progettualità, dipenda da due fattori: primo, la capacità di mettere in rete i diversi interventi a favore di una qualità diffusa e condivisibile; secondo, stimolare progetti elaborati da gruppi allargati e interdisciplinari. Poi, guardando indietro, una constatazione: per ciò che comunque abbiamo già fatto sul nostro territorio, la nostra immagine dovrebbe essere molto più presente all'esterno.

SDF *Gruppi interdisciplinari o che anche accostano competenze della stessa disciplina, ad esempio un architetto locale e uno straniero?*
PV L'interdisciplinarietà, pur parziale, è già oggi una caratteristica richiesta dalle normative dei bandi di gara di progettazione; però, si tratta sostanzialmente di figure tecniche come l'ingegnere strutturista, quello impiantista, il geologo, ecc. Poi, comunque rari, troviamo bandi che aprono alle competenze di estrazione umanistica come la storia, la psicologia, la sociologia, l'economia. Ma quello a cui penso è qualcosa di inedito: l'integrazione di culture geograficamente diverse anche nell'ambito della stessa competenza.

SDF *È un concetto in corso, se pensiamo ad eventi come "ME-DESIGN Design nell'area mediterranea". Diverso sarebbe se questo principio venisse adottato a livello di norma, benchè tutto da discutere sul piano culturale.*
PV Credo che oggi chi lavora per Torino possa avere l'ambizione di andare su altri "importanti" mercati e viceversa. L'interdisciplinarietà e la organizzazione della struttura, come anche la dimensione, sono garanzie oggi richieste dai governi territoriali. In questo caso si avrebbero però non solo garanzie funzionali ma anche culturali. È un po' come accade nelle politiche del vino: se non produci un certo numero di bottiglie all'anno non puoi aggredire i grandi mercati di cui i primi luoghi sono gli ipermercati: che io non considero luoghi sbagliati per vendere il vino buono. Così, oggi, per vincere un concorso internazionale di architettura devi avere un certo tipo di dimensione, di organizzazione e, non ultimo, di cultura innovativa da proporre.

SDF *Potrebbe essere un arricchimento che comunque non sostituisce quella che per il nostro Studio, ad esempio, è la capacità di costruire scenari in cui è importante considerare il luogo e la situazione*

PV Dopo aver lavorato insieme nell'operazione "Strategie di immagine urbana per la città" ho capito che la vostra metodologia di approccio aiuta soprattutto il governo di scenari grandi e complessi. La lettura dell'ambiente alla grande scala consente di cogliere i nodi e le potenzialità della trasformazione del territorio. Le proposte che ne derivano, però, non sono di così facile lettura: apparentemente sembrano neutrali; in realtà è un modo di essere né troppo in adeguamento né troppo in contrasto. Un metodo che convince se hai l'opportunità di vederlo applicato a vaste porzioni di territorio.

SDF Sì, rappresenta il contrario di molti atteggiamenti elitari che vediamo in progettisti all'opera con una sola piazza o una singola attrezzatura urbana. Più l'oggetto del progetto è piccolo più si tende a considerarlo, talora, come l'occasione della propria vita, caricandolo anche impropriamente di funzioni e messaggi. Cosa ne pensi tu che hai fatto del raccontare la città un mestiere?
PV Più da semplice lettore che da narratore si potrebbe dire che il vostro è un approccio darwiniano. Darwiniani sono coloro che pensano che il mondo si può migliorare partendo dalle preesistenze, senza rigore conservativo né enfatizzazione dell'originalità a tutti i costi. Una dimostrazione di fiducia nelle cose che possono evolversi se disegnate per il futuro in continuità con il passato.

SDF Che cosa cerca la città di Torino oggi?
PV L'integrazione tra competenze diverse: architettura, design, innovazione nei materiali, innovazione energetica, ambientale e ingegneristica. Penso ai temi della mobilità e dello spazio pubblico, così ricchi nella tradizione di progetto, nella nostra città. Torino dovrebbe giocarsi la sua carta aprendo a nuovi orizzonti. L'obiettivo odierno del governo locale, condiviso da tutti gli enti però, non dovrebbe essere quello di discutere se fare o non fare i parcheggi nel centro storico, ma di cogliere seriamente le proposte che arrivano dalla ricerca, universitaria e non solo di architettura, sulla città. Ricerche che ci parlano di tempi maturi per nuove centralità urbane, di zone intercomunali che oggi non hanno più senso in una dimensione metropolitana, di mobilità che interagisce con il territorio, che crea opportunità di informazione, di conoscenza, di verde nuovo teatro dell'urbanità, e di contaminazione tra diverse culture.

SDF Le città vincenti sono oggi considerate quelle che vedono nel loro territorio un valore in grado di produrre sviluppo, anche economico e a vantaggio della collettività.
PV Torino, è percepita a livello nazionale come città che si è trasformata da città dell'impresa a città della cultura. Con questo non significa che l'industria abbia abbandonato il campo, anzi per la prima volta si ritiene partecipe di questo processo e per niente sminuita. Era ora: si tratta di una trasformazione che dura da vent'anni, avviata con il primo Salone del Libro, poi i musei, le gallerie, il teatro e infine la partecipazione sociale: potenziata anche dall'effetto olimpico, dove grazie al volontariato ha prevalso finalmente l'io ho fatto all'io c'ero. Ora dovrebbe crescere la coscienza sul tema ambiente ed energia. Che è come mettere il tralcio alla vite, non toglierle i frutti. Rimane però il fatto che questa è una città in cui ancora se qualcuno dice "ambiente" vuole dire che non ti piace "impresa" e viceversa.

SDF Quando le città cercano di allargare il corollario delle loro intenzioni c'è il rischio di smorzare l'effetto degli obiettivi. Altre città hanno puntato su una sola chance, un unico obiettivo. Riguardo al territorio quale potrebbe essere la prossima mossa?
PV Credo che la partita più grossa per i prossimi quindici anni Torino la dovrà giocare sul progetto del verde, soprattutto in termini di animazione. I grandi nastri di verde, la "Città delle acque" con i 4 fiumi e relative sponde, sono per Torino la vera occasione. Un verde verso il quale i giovani e le famiglie si rivolgono con sempre maggiore frequenza. Dovrà essere un verde vissuto fino a tardi la sera perchè una città che offre occasioni è una città abitata sempre. Dentro e intorno al verde assisteremo ad aggregazioni che saranno il modello di un nuovo modo di abitare. Sarà lì, in questi nuovi grandi spazi pubblici, che si giocherà la partita indicata da Zgygmunt Bauman: sceglieremo di essere mixofobici o mixofilici? Avremo paura di mischiarci o ne avremo piacere?

SDF Defined by the new Strategic Plan as a strongly booming city on the international stage, to what extent is the reference to the star system of architects relevant to a city like Turin?
PV Upon discussing the Strategic Plan in 1998 and 1999, the issue had been addressed whether aiming at a close-ended model such as Bilbao with Gehry, or to an open-ended model for the diffusion of architectural quality. We moved in the second direction, a choice driven by the fact that Turin had a different identity, with a deep historical background compared to Bilbao.

SDF Even if, in the meantime, professionals from the star system have put their signature to or realised important projects for the city.
PV Turin has never really sought the star and the few times it has done so, the result has not been that extraordinary. May be not because of the architect but because, something the city has to get rid of once and for all, our ambitions are given a totally restrictive application. We look forward without succeeding in tuning with the great works, with what is special. A startling example identifies with the market building by Fuksas in Piazza della Repubblica. I cannot say it is an ugly project; I'd rather say we have been too careless on occasion of that intervention as it has been considered one of the many routine building sites.

SDF Therefore it would be out-dated steering course now versus the decisions made in the late Nineties.
PV Certainly, I believe that, when we talk about design, the future of urban transformation depends on two factors: firstly the ability to network the various interventions in favour of a widespread, shared quality; secondly, stimulating projects developed by interdisciplinary teams. In addition, when we look back, a remark surfaces spontaneously: based on what we have already done on our territory, our image ought to be far more top of mind outside.

SDF Interdisciplinary teams or sharing competence in the same discipline, such as a local architect and a foreign one?
PV Though partially, the interdisciplinary approach is one of the requirements provided for by the regulations of design competitions but, substantially, it is technical figures such as the structural engineer, the plant designer, the geologist, etc. Then, though seldom, we come across competitions for which professionals with a humanistic background, such as history, psychology, sociology, economics, can qualify. But what I have in mind is something never seen before: the integration of geographically different cultures even within the same competence.

SDF It is an ever-changing concept, when we think of examples such as "ME-DESIGN Design in the Mediterranean area". It would be different if this principle were adopted in terms of regulation, although questionable from the cultural point of view.
PV I believe that the people working for Turin today may aspire to experience other "important" markets and the other way round. The interdisciplinary approach and the structure organization, as well as the scope, are standards required by local governments. In this case, we would have not only functional standards but cultural ones as well. It is a bit what happens with wine policies: if you do not produce a given number of bottles per year, you cannot conquer the large markets, the first channel being hypermarkets which I do not estimate wrong places to sell good wine. In this way, today, to win an international architecture competition, you must rely on given dimensions, organization and, last but not least, an innovative culture to offer.

SDF It might stand for an enhancement which, however, does not replace what to our practice, for instance, is the ability to build scenarios where it is important considering the site and the circumstance.

PV *After working together to the project "Urban image strategies for the city", I have understood that your approach methodology helps above all the management of broad, complex scenarios. Examining the environment on a large scale allows to grasp the obstacles and the potentials to the transformation of the territory. On the other hand, the propositions set forth do not deliver a very easy read: apparently they seem neutral; in reality it is a way for being neither too focused on adjustment nor on contrast. A method that proves convincing when you have the opportunity to see it applied to large portions of the territory.*

SDF Yes, it is the opposite of many elitist attitudes shown by designers working on a single site or a single urban design facility. The smaller the object of the project, the more it is sometimes considered as the lifetime opportunity, while wrongly imbuing it with functions and messages. What is your personal opinion as someone who has made the urban narration a profession?

PV *As simple reader rather than as narrator I could say: yours is a Darwin's approach. Darwin followers are those who think the world can be improved based on the existent structures, without either conservative strictness or emphasis on originality at all costs. A display of confidence in the things that can evolve if designed for the future in a continuity solution with the past.*

SDF What does a city like Turin search for today?

PV *The integration among different types of competence: architecture, design, innovation of materials, energy, environmental and engineering renovation. I think, for instance, about topics such as mobility and public space, so rich in the design tradition, in our city. Turin ought to play its trump card opening up to new horizons. The current goal of the local government, but shared by all the bodies, should not consist in debating whether building or not building parking sites in the historic centre, but in considering seriously the propositions set forth by university research centres, not confined to the faculty of architecture alone, to the city. Research highlighting it is high time for new urban centralities, intercity areas that today have lost their significance in a metropolitan dimension, for mobility interacting with the territory, which fuels opportunities of information, knowledge, new green areas against the urban stage and contamination across different cultures.*

SDF *Successful cities today are those which look at their territory as a value able to produce growth, also economic and to the benefit of the community.*

PV *Turin is perceived nationwide as a city that has transformed from business city to city of culture. Which does not mean the industry has disappeared, indeed for the very first time it holds itself responsible for this process and in no way belittled. It was high time: it is a transformation that has been going on for twenty years, which got under way with the Book Exhibition, followed by museums, galleries, theatres and, eventually, social participation: magnified also by the Olympic effect where, thanks to volunteering, the "I was there" approach has been outscored, at last, by the "I have made it" approach. Now awareness should head for environment and energy. Which is equal to putting a shoot to the vine, instead of depriving it of its fruits. Nevertheless we have to keep in mind that this is a city where when someone says "environment", it means you do not like "business" and the other way round.*

SDF When cities try to expand the scope of their achievements, the effect of the goals is likely to be dampened. Other cities have focused on one chance only, one single objective. When we turn our attention to the territory, what could the next move be?

PV *I believe that the main challenge Turin will have to face over the next fifteen years concerns above all green areas, above all in terms of life. The large green belts. The "City of waterways" with the four rivers and their banks, are the real opportunity for Turin. A green to which youths and families apply increasingly often. It will have to be green areas to be experienced until late in the evening because a city that offers occasions is a city inhabited all the time. Inside and around the green areas we will witness socialisation patterns that will provide the model to a new living concept. It will be there, in these new large public spaces that the city will face the challenge outlined by Zgygmunt Barman: will we choose to be mix-phobic or mix-friendly? Will we be scared of mingling or will we draw pleasure out of it?*

Spazi pubblici
Design per la città
Public spaces
Design for the city

Parco pubblico

Venchi Unica, Torino

All'interno del nuovo complesso residenziale, il parco collega in diagonale i due assi storici alberati che un tempo delimitavano lo stabilimento Venchi Unica.

Un lungo bacino verde, più basso al centro, in cui il percorso pedonale è allo stesso tempo matrice e fulcro dell'organizzazione spaziale.

Cinque attraversamenti lo connettono ai porticati delle residenze: quello centrale, in particolare, lo scavalca come un vero e proprio ponte. Al di sotto, i rigidi confini del viale si trasformano in un segno sinuoso con funzione di contenimento del terreno e di seduta, mentre la vegetazione offre una vivace alternanza di luci ed ombre.

Davanti alla seduta continua, realizzati anch'essi in cls e resina, gruppi di tavoli e sgabelli danno vita a piccoli salotti ombreggiati. I restanti arredi, (sedute e supporti per piante rampicanti) realizzati in tondino di acciaio, giocano con la trasparenza integrandosi per forma e colore con la vegetazione.

Di notte, il giardino può apparire come un fiume costellato di lucciole, grazie ad una distribuzione intensa e non geometrica di esili lampade a stelo.

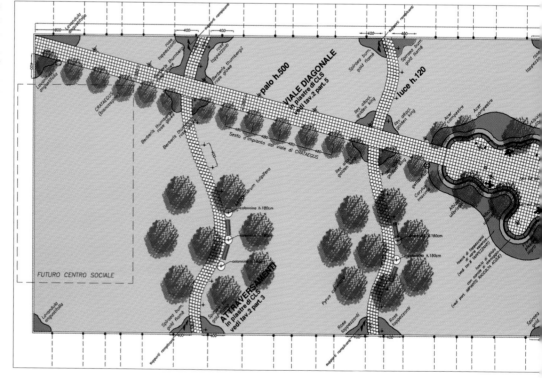

Public space: 13000 sqm

1998
Town park
Venchi Unica, Turin

Within the new residential complex, the park is the link between the two historical tree-lined roads that once delimited the Venchi Unica works.

A long green belt, narrower in the centre, where the pedestrian route is both the matrix and the core of the layout.

The park is connected to the porticoed houses by five crossings: the central one, in particular, spans it like a real bridge. Beneath, the strictly defined boundaries of the thoroughfare transform into a waving sign designed to delimit the ground and work as seats, while the surrounding vegetation is a vibrant mix of lights and shades.

Opposite the continuous system of benches, clusters of tables and stools, they too made from cls and resin, create sorts of shady lounges. The remaining urban design (consisting of seats and creeping plant facilities) made of steel rods, plays with transparency while becoming one with the shape and colour of the surrounding greenery.

At night, the presence of asymmetrically, extensively scattered slender floor-lamps has the garden look like a river populated by fireflies.

Project:
Studio De Ferrari Architetti
Main Contractor:
Consorzio Venchi Unica
Client:
Consorzio Venchi Unica

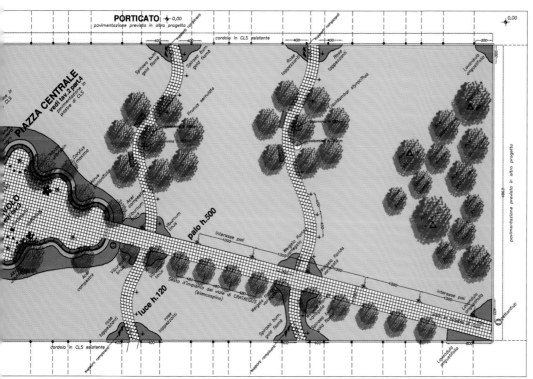

Il progetto di riqualificazione interessa una passeggiata storica di particolare valenza per il lungo sviluppo (circa 600 m), la panoramicità del sito e la vicinanza al Palazzo del Casinò.

Le funzioni previste, i materiali e il linguaggio espressivo sono pensati nell'intenzione di essere applicabili ad altri luoghi del noto centro turistico.

Una nuova pavimentazione in porfido è estesa alla sede veicolare, ai parcheggi, e ai marciapiedi, completati da una illuminazione a palo in ghisa con funzione di portastendardo e allestimenti natalizi.

Per l'area *loisir,* una grande e lunga aiuola è allestita con specie tappezzanti sempreverdi e floricole a variazione cromatica stagionale con a fianco l'ampia passeggiata lastricata in pietra locale intervallata in modo irregolare da file di cubetti.

Sull'asse centrale si alternano alberi ad alto fusto con elementi di illuminazione, mentre negli slarghi terminali ed intermedi le grandi sedute continue si relazionano con fontane, aiuole fiorite, cippi ricordo...

Di notte, la passeggiata assume una propria identità paesaggistica grazie all'illuminazione dal basso dello spalto e della vegetazione floreale.

Total surface: 9800 sqm
Promenade: 560 m

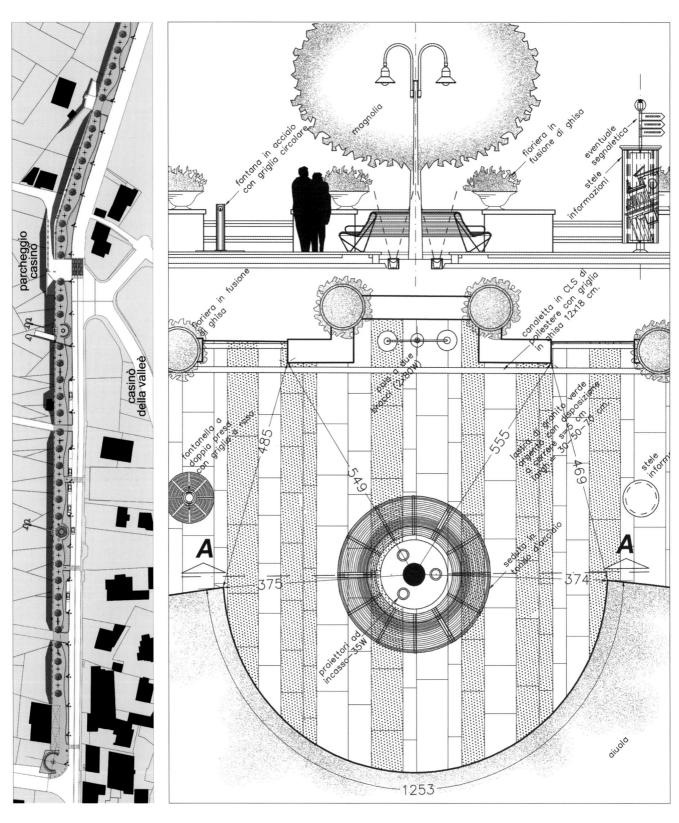

parcheggio casinò

casinò della valleè

fontana in acciaio con griglia circolare

magnolia

fioriera in fusione di ghisa

eventuale segnaletica

stele informazioni

fioriera in fusione di ghisa

fontanella a doppia presa con griglia a raso

canaletta in CLS di poliestere con griglia in ghisa 12x18 cm.

pala a due braccia (2x80W)

lastra di granito verde orientale con disposizione di carrée s=5 cm rocchi 30/50~70 cm.

555

485

549

469

A

375

374

seduta in tonalo d'arredio

1253

proiettori ad incasso~35W

stele informazioni

aiuola

1998
Viale Piemonte
Saint Vincent, Aosta

The renovation project addresses a historical promenade particularly noteworthy for the length (approximately 600 mt.), the scenic quality of the site and the vicinity to the Casino. The functions envisaged, the materials and the expressive language are conceived with a view to being applicable to other sites of the renowned tourist resort.

A new porphyry paving has been laid out applying to thoroughfares, parking sites and sidewalks, enhanced by a cast-iron floor lamp system designed to also bear banners and Christmas decorations.

As to the leisure area, a large, long flower-bed is strewn with evergreen creeping species and flowers in a broad variety of colours with, beside, the large stone-paved promenade asymmetrically spaced by rows of cubic stone paving blocks.

Along the central axis, high-trunk trees alternate with the lighting system while, near the end and central widening parts, the rows of seats entertain a dialogue with the surrounding fountains, flower-beds, memorials...

At night, the promenade conveys a scenery identity of its own thanks to the bottom-up lighting system of the terrace and the floral vegetation.

Project:
Studio De Ferrari Architetti
con M. Maresca, O. Peaquin
Main Contractor:
Impresa Costruzioni Piemonte
Client:
Città di Saint Vincent

La sistemazione di Piazza Pertinace costituisce operazione pilota per la riqualificazione dello spazio pubblico dell'intero centro storico di Alba. Tra i criteri emersi e adottati: una pedonalizzazione 'graduale' e 'condivisa' del centro; la ricerca e la comunicazione delle tracce storiche della trasformazione dei diversi luoghi; la redazione di un Piano della scena urbana contenente soluzioni botaniche, illuminotecniche, di materiali e manufatti di arredo con forte identità.

I tre ambiti della Piazza

Il progetto individua, nel rispetto della storicizzazione, tre distinti ambiti spaziali.

Piazzetta San Giovanni

Concepita quale salotto urbano, gode della simmetrica presenza delle due facciate storiche (Chiesa e Casa Marro), ora esaltata dall'inserimento di un geometrico "tappeto" in pietra di Luserna e cotto. Il tappeto è poi tagliato da una guidana storica in pietra, segno dell'antico tracciato viabile medioevale. La piazzetta, così riqualificata e completata dai recenti ritrovamenti archeologici, è diventata una delle mete dei tour turistico/culturali di Alba.

Bosco urbano

Giocando sui dislivelli si è realizzato uno spalto alberato pavimentato in porfido e attrezzato per la sosta con sedute in tondino di acciaio e sedute libere sulla gradonata di pietra che raccorda il rilevato alla via Pertinace. Le chiome dei sempreverdi sono illuminate dal basso e costituiscono anche filtro visivo verso l'area a parcheggio e

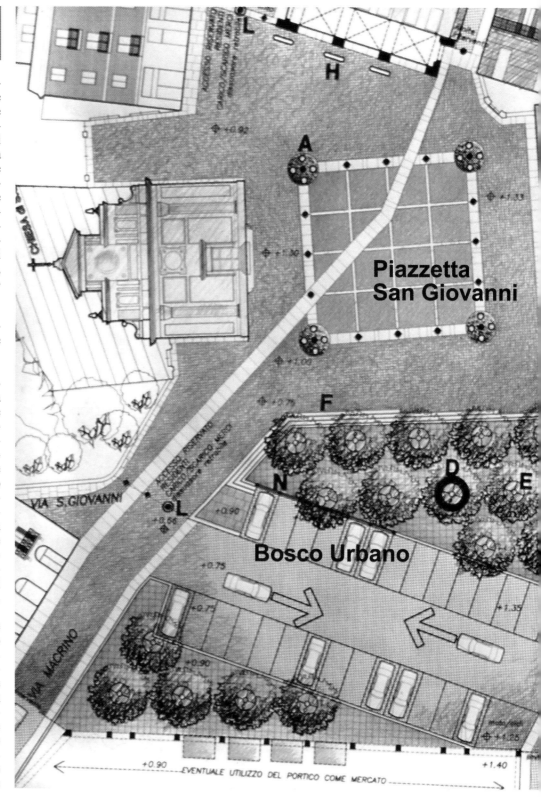

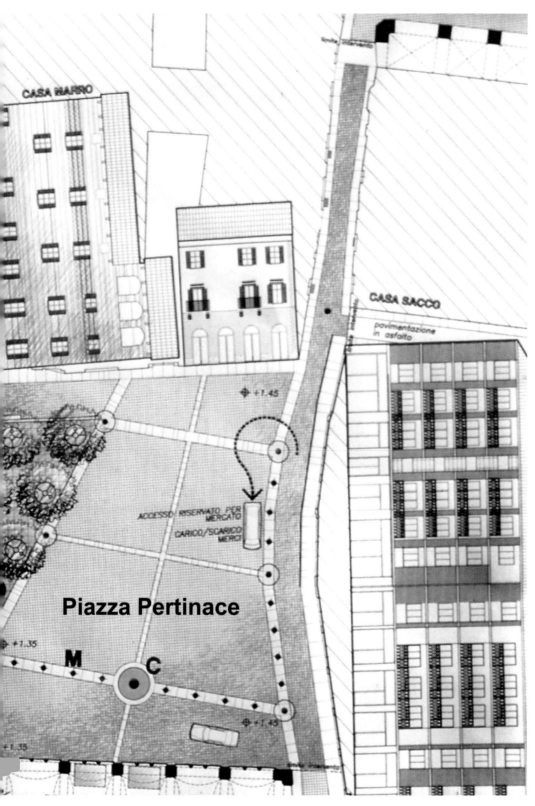

CASA HARRO

CASA SACCO

pavimentazione in asfalto

⊕ +1.45

ACCESSO RISERVATO PER MERCATO
CARICO/SCARICO MERCI

Piazza Pertinace

⊕ +1.35

M   C

⊕ +1.45

+1.35

l'edilizia di bordo che su questi fronti è di scarsa qualità architettonica.

Piazza Pertinace

Concepita come piastra senza differenze di quota e ostacoli, ospita attività mercatali, eventi pubblici e di spettacolo. È delimitata da ampie bordature in pietra e campi in porfido bruno grigio, materiale di pavimentazione individuato dal Piano per tutte le aree viabili del centro storico. Lungo le bordature, con funzione anche di delimitazione virtuale dello spazio, trova collocazione l'illuminazione, individuata in un sistema modulare in acciaio che consente allestimenti diversi sia per numero di bracci sia per tipologia del corpo illuminante.

Square surface: 9000 sqm
Car parking: n° 30

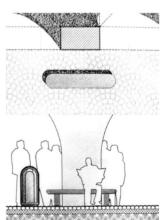

1998
Piazza Pertinace
Alba, Cuneo

The reorganization of Piazza Pertinace stands for a pilot project in the framework of the renovation policy addressing the public space of the whole historic centre of Alba. Among the criteria applied stand out: a 'gradual', 'shared' pedestrianization of the historic centre; the search and communication of the historical traces of the transformation of the various sites; the drawing up of an urban setting scheme featuring botanic, lighting technique solutions, the use of highly distinctive materials and urban design objects.

The three elements of the Square
Grounded on the respect of the historical vocation, the project identifies three distinct areas.

Piazzetta San Giovanni
Conceived as urban lounge, it benefits by the symmetric presence of the two historical facades (Church and Marro House), today enhanced by the fitting of a geometric "runner" made from Luserna stone and earthen tiles. The runner is crossed by a historical stone way, telltale sign of the Medieval road layout. Accordingly, renovated and enhanced by the recent archaeological finds, the little square has raised to one of the key attractions during tourist/cultural tours of Alba.

Urban woods
Taking advantage of the gradient, a tree-lined terrace has been created featuring a porphyry paving and fitted with steel tubular benches

and loose seats on the stone-terraced steps which connects the rise to via Pertinace. The evergreen canopies are illuminated from the bottom and also provide a visual screen to the parking site and the edge buildings which, in this very part, do not reflect great architectural quality.

Piazza Pertinace

Conceived as an equally high, unobstructed area, it is house to market places, public events and shows. It is delimited by broad stone edges and by a dark grey porphyry paving, a material identified by the Scheme and applied to every street throughout the historic centre. Along the edges, which also act as virtual boundary of the space, the lighting system stands out which consists of a steel modular system suitable of being arranged variously both in terms of number of arms and type of lighting fixture.

Project:
Studio De Ferrari Architetti
Work manager:
V. Rosa
Main Contractor:
Impresa A. Barberis
Client:
Città di Alba

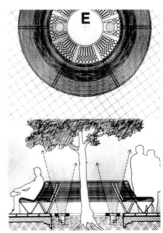

La piazza segue i caratteri ambientali dettati dal Piano AU di Mestre (redatto dallo Studio ne1 1992) nonché la valorizzazione ed integrazione della scultura sdoppiata di Nicola Carrino, vincitore del concorso per un monumento a celebrazione dei caduti di tutte le guerre.

Il suolo rafforza il segno urbano a terra dalle raggiere in pietra convergenti verso la storica Villa Erizzo, fulcro visivo di tutta la piazza. Su tale prospettiva si allineano anche le nuove sculture in acciaio "corten" di Nicola Carrino posate su un prato verde calpestabile. Riorganizzati ai confini della piazza, i parcheggi sono mascherati da nuove piantumazioni di specie sempreverdi.

All'interno, aree e percorsi pedonali, totalmente a raso, definiscono settori atti ad ospitare funzioni specifiche: scenografico quello erboso con le sculture; più funzionali quelli pavimentati che ospitano isole di sosta ombreggiate, la fontana con i pesci rossi, una aiuola fiorita di generose dimensioni corredata di seduta, altre panchine in pietra, una edicola di giornali. Attrezzature accomunate dalla forma circolare e dalla pietra d'Istria caratterizzante l'edilizia e gli spazi pubblici della regione veneziana.

Total surface: 2700 sqm

2000
Piazza Donatori
di sangue
Mestre, Venice

The square celebrates the environmental principles set forth by the U.D. Plan of Mestre (drawn up by the author's practice in 1992) as well as the enhancement and integration of the split sculpture by Nicola Carrino, who won the competition for the creation of a monument in the memory of the fallen of all wars.

At pavement level, the urban sign is reinforced by the ground through the stone slabs radiating out towards the historical Villa Erizzo, the high spot of the entire square. Cleverly lined up against this perspective, the new "corten" steel sculptures by Nicola Carrino gently rest on a green meadow. Redesigned at the edge of the square, the parking sites are screened by newly-planted evergreen trees.

At the centre of the square, pedestrian walkways and resting areas delimit sections meant to fulfil specific functions: scenic effects achieved by the meadow hosting the sculptures; the paved section with the shady resting areas serving more functional purposes, the fountain with the goldfish, a large flower-bed surrounded by a bench; other stone benches, a newspaper kiosk. Facilities sharing a circular shape, while Istrian stone is a tangible reference to the buildings and public spaces characterising Veneto.

Project:
Studio De Ferrari Architetti
Sculpture/monument:
N. Carrino
Client: Città di Mestre

43

Piazza San Francesco

Venezia Mestre

Piazza San Francesco è uno dei tipici *campielli* che ospitano piccoli mercati rionali di alimentari. I componenti la nuova sistemazione (pavimentazione, lampioni, sedute in pietra d'Istria, fontanella, nuove alberature,...) si dispongono in un unico disegno simmetrico attorno al nuovo grande chiosco che, posizionato al centro del *campiello*, accoglie cinque attività commerciali (*pistor, luganeghèr,...*) sino ad allora esercitate in provvisori chioschi indipendenti.

Posizione e tipologia del nuovo padiglione sono state definite anche con il contributo del Comitato di quartiere. Fedele alle tradizioni, ne ripropone abitudini e stilemi:

- completamento del percorso commerciale della piazzetta già avviato dai negozi presenti sul perimetro;
- esposizione dei prodotti mediante l'apertura dei grandi *scùri* ciechi e ribaltabili;
- mantenimento degli avventori all'esterno, eventualmente protetti da tendoni in tela grezza a strisce;
- completamento della copertura con una sorta di esile coronamento/segnale realizzato in ferro battuto;
- come nei chioschi e padiglioni veneziani, un unico colore, il verde impero, è esteso a tutti gli elementi della struttura.

Lot surface: 520 sqm
Built surface: 140 sqm

44

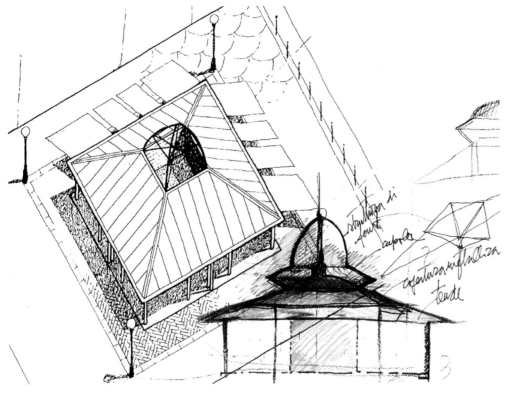

Piazza San Francesco is one of the typical "campielli" hosting local small foodstuff markets. The various components making up the new layout (paving, street-lamps, Istrian stone benches, fountain, newly-planted trees,...) are arranged in a single symmetric design around the new large kiosk which, positioned in the middle of the "campiello", hosts five trades ("pistor", "luganeghèr",...) up to that time running in provisional stand-alone kiosks.

Position and typology of the new structure have been agreed also with the contribution of the neighbourhood committee. Loyal to tradition, it revives local habits and stylistic standards:

- completion of the trade structure of the square previously promoted by the shops overlooking the square;
- products display by opening wide the large, foldaway shutters;
- clients waiting outside but sheltered, if necessary, by a large striped raw canvas marquis;
- completion of the roofing through a sort of forged-iron, slender topping/signage;
- as for Venetian kiosks and pavilions, a single colour shade, namely empire green, is applied to all the elements making up the structure.

Project:
Studio De Ferrari Architetti
Client:
Città di Venezia Mestre

Linea tramviaria 4

Torino

Lo studio, attivatosi nell'ambito di una Convenzione tra il Politecnico di Torino e il Gruppo Trasporti Torinesi, riguarda la progettazione dell'immagine della nuova Linea tranviaria 4: un percorso di 16 km che attraversa, da nord a sud, l'intera città.
Tra le proposte:

- individuazione di siti e layout per la realizzazione di "parcheggi di interscambio" auto/tram;

- valorizzazione delle "prospettive" di corsi e viali nell'ottica di salvaguardare e completare il patrimonio arboreo esistente;

- valorizzazione delle nuove soluzioni viabilistiche e infrastrutturali di cui la Città va dotandosi: le "rotatorie", attraverso l'ipotesi di un loro allestimento tematico (arte e design urbano) e i "percorsi ciclabili", attraverso la creazione di ciclostazioni e l'incentivo all'integrazione tra mezzi di trasporto diversi (auto, bici, tram);

- coordinamento dei principali sistemi di attrezzature urbane: suolo, illuminazione, sedute, protezioni, fermate;

- costruzione di un sistema di orientamento e informazione ambientale che evidenzia i luoghi notevoli, i beni culturali ambientali e le attrazioni turistiche presenti in un raggio di 200 metri dal tracciato della Linea.

Total length: 16 km

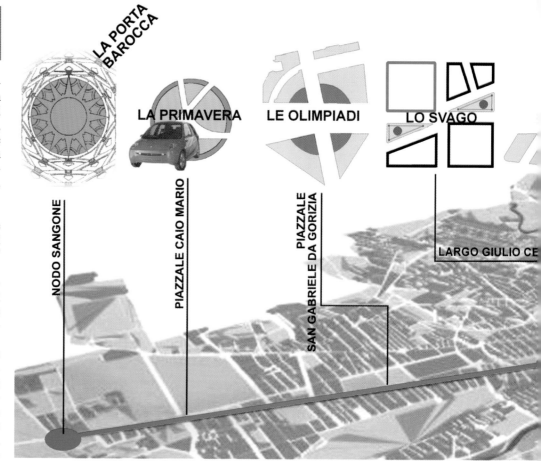

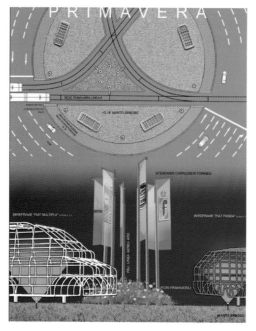

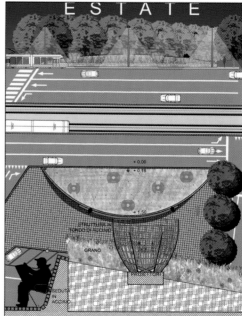

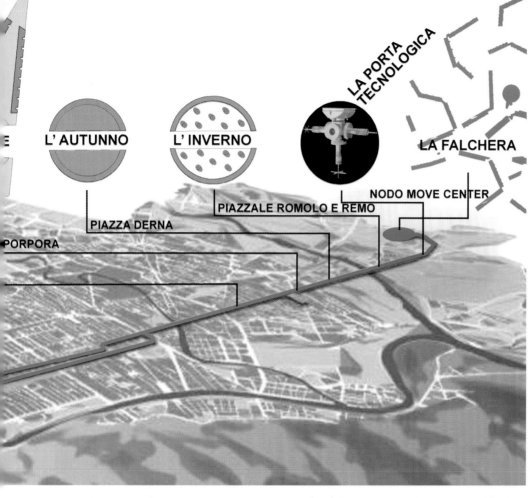

LA PORTA TECNOLOGICA

L' AUTUNNO   L' INVERNO

LA FALCHERA

NODO MOVE CENTER

PIAZZALE ROMOLO E REMO

PIAZZA DERNA

PORPORA

2000
Tram line number 4
Turin

Promoted in the framework of an Agreement between the Polytechnic of Turin and Gruppo Trasporti Torinesi, the project regards the design of the image of the new tram line number 4: a 16 km. stretch running, from North to South, throughout the entire city.
Among the objectives:
- identification of sites and layouts for the creation of "interchange parking sites" aimed to cars/trams;
- enhancement of the "views" overlooking roads with the aim to safeguard the current arboreal asset;
- enhancement of the new road and infrastructure solutions the City is being fitted with: the "roundabouts", likely to be designed taking inspiration from a number of themes (art and urban design) and "cycle tracks" through the creation of bicycle stations and the encouragement to complement different means of transport;
- co-ordination of the main urban facility systems: ground, lighting system, seats/benches, shelters, stops;
- construction of an environmental information and direction system highlighting sites of interest as well as the tourist attractions existing in a 200 mt. range from the Line layout.

Project consultants:
G. De Ferrari, C. Germak,
C. Ronchetta
(Politecnico di Torino
DIPRADI Dipartimento di
Progettazione Architettonica e di
Disegno Industriale)
Client: GTT
Gruppo Trasporti Torinesi

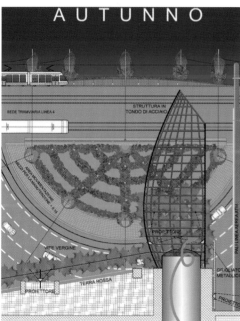

AUTUNNO

INVERNO

"Scopriminiera"

Prali, Torino

Scopriminiera è un prodotto turistico di successo che ripropone la cultura materiale della Valle Germanasca attraverso un'esperienza coinvolgente: la riconversione del complesso estrattivo di Prali, dismesso da tempo per l'estinzione della vena del suo talco bianco delle Alpi.

I percorsi di accesso

L'intervento sui percorsi esterni, necessario ai fini della sicurezza e dell'accessibilità anche nei mesi invernali, realizza piazzole bus protette e collegamenti pedonali tra i parcheggi e le due gallerie.

Attraverso un tunnel sotto strada si accede ad un percorso coperto in tavole di abete impregnato che, integrato con la pineta, conduce alla galleria superiore (Paola).

Riqualificazione fabbricati e sistemazione aree esterne

La riqualificazione fisica e funzionale dei fabbricati esistenti (già proprietà Luzenac) e degli spazi esterni alle gallerie è stata affrontata con attenzione al contesto di riferimento.

I piazzali, attraversati dalle rotaie che conducono le locomotive al riparo, diventano Musei all'Aperto e si popolano di memorie minerarie di cui recuperano linguaggi e colori; gli arredi esterni (punti pic-nic, punti informazione e segnalazione) recuperano le tecniche e i materiali tipici quali la tavola da ponte in abete (utilizzata in galleria per costruire le "sbadacchiature" a sostegno della volta) e le grafiche realizzate a stencil.

Il Museo della Miniera

Nella lunga tettoia vicina all'imbocco della galleria Paola, il Museo documenta la realtà sociale della Valle, la storia estrattiva del talco e la vita dei minatori attraverso reperti originali di epoche differenti. Gli oggetti sono esposti in vetrine mobili o fissati sulla parete continua in tavole di abete di diversa altezza che diventa supporto comunicativo in cui nuovi "marciavanti" in alluminio (utilizzati in galleria per consolidare la volta) riportano le indicazioni dei differenti temi.

Il Viaggio in Miniera

Fulcro dell'esperienza della visita è il percorso didattico da compiersi con caschi e mantelline a bordo di un trenino minerario appositamente realizzato che si addentra per circa 1,5 km nella semioscurità della galleria.

Le sagome nere dei minatori al lavoro, intagliate ad acqua in lastre d'alluminio, illustrano le attività della miniera con l'aiuto di emozionanti effetti luminosi e sonori. Nelle zone in cui i visitatori procedono a piedi è possibile visitare ambienti allestiti con macchinari originali, assistere alla simulazione di scavi e provocare una assordante "volata" manovrando l'esploditore.

Museum surface: 300 sqm
Covered ways: 180 m
Public spaces: 4600 sqm
Paola Gallery: 1600 m
Gianna Gallery: 1200 m

2001
"Scopriminiera"
Prali, Turin

Scopriminiera is a successful tourist product that revives the material culture of the Germanasca Valley through a thrilling experience: the transformation of the Prali-based mining complex discontinued long ago.

The access routes

The work on the external routes, deemed necessary to the aim of safety and access also in winter months, has resulted into small roofed bus forecourts and pedestrian walkways between the parking sites and the two galleries. Based on an underground gallery, access is gained to a roofed walkway consisting of an impregnated fir-tree boarding which leads to the upper gallery (Paola).

Renovation of the built-up area and arrangement of the external areas

The material and functional renovation of the existent buildings and of the space outside the galleries has been undertaken in keeping with the surrounding context. Crossed by the railway lines leading the locomotives to cover, the forecourts have been transformed into Open Air Museums and populated with mining memories while reviving their languages and colours; the outdoor urban design (picnic areas, information desks and signage) celebrates local techniques and materials such as fir-tree boards and the stencilled artwork.

The Mine Museum

Throughout the long shelter near the outset of the Paola

gallery, the Museum illustrates the social life of the Valley, the mining history of talc and the miners' life. The exhibits are arranged either inside moving show-cases or put up on the wall fastened to fir-tree boards placed at different heights which provide the communication medium where new aluminium "forepoles" bear information pertaining to the various topics.

The Journey in the Mine
The high spot of the experience identifies with the didactic visit. Fitted with helmets and shoulder capes, visitors get into a purpose-built mine train covering approximately a 1,5 km. stretch of the gallery in half-darkness.
The black silhouettes of the miners, water-engraved on aluminium sheets, illustrate the activity of the mine with the aid of thrilling light and sound effects.

Project
1997/98 1ª fase DIPRA, Politecnico di Torino. Consulenza alla Provincia di Torino per il progetto "Cultura Materiale".
Riqualificazione edilizia:
C. Ronchetta, M. Lucat,
M. Tisi, L. Vivanti
Museo Storico:
C. Ronchetta, E. Serra
(progetto scientifico)
G. De Ferrari, O. Laurini,
C. De Giorgi (arredi)
Percorsi montani:
S. Cresto Dina

1999/01 2ª fase:
Percorsi, posteggi, arredi:
Studio De Ferrari Architetti
con C. De Giorgi,
S. Rigatelli, M. Sassone
Main Contractor:
Impresa Negroni
Client: Comunità Montana
Valli Chisone e Germanasca

Piano dell'Arredo e dell'Immagine urbana
Ciampino, Roma

Definita dalla Società Anonima Colle Parioli nel 1910 secondo un modello ispirato alle Garden City di Howard, la città ha subito una vera e propria devastazione nel periodo bellico. Ricostruita in tempi brevi e fondamentalmente legata alla presenza dell'aeroporto militare, oggi utilizzato anche per diporto, Ciampino ha sofferto, come molti altri centri minori italiani, di una evidente mancanza di identità architettonica e tanto più paesaggistica. In quest'ottica, il 'Piano dell'arredo e dell'immagine urbana' pone come prioritari gli indirizzi di intervento funzionale (organizzazione della viabilità e dei parcheggi) caricandoli di valenze espressive:

- gli ingressi alla città diventano il luogo per la comunicazione delle vocazioni del territorio;
- le strade e le piazze, ora dotate di una precisa gerarchia e completamente ridisegnate nella sezione introducono significative quote di verde, parcheggi, percorsi pedonali/commerciali e ciclabili;
- nuovi materiali e arredi, scelti in funzione di un'immagine urbana progettata e riconoscibile, danno vita ad un abaco tipologico a disposizione della città per la guida della sua futura riqualificazione.

Squares surface: 55000 sqm
Streets surface: 180000 sqm
Town's gates: n° 5

Largo Enrico fermi

10

Porta dei Francesi
4

La porta roma!
Città di Ciampino

Porta di Marino
5

2001
**Urban design and urban
image plan**
Ciampino, Rome

*Defined by the Società Ano-
nima Colle Parioli in 1910
according to a model inspired to the Garden City of
Howard, the city has undergone real ravages during the
world war. Quickly recon-
structed and substantially associated with the presence of
the military airport, today also used for leisure purposes,
like many other smaller Italian towns, Ciampino has
suffered from a tangible lack
of architectural and, to a lar-
ger extent, landscape identity. In this perspective, the
'Urban design and urban
image plan' prioritises functional objectives (organisa-
tion of the road system and of
parking sites) by assigning
them expressive values:*
*- entrances to the city beco-
me the sites for communica-
ting the territory vocation;*
*- streets and squares, today
working based on a precise
hierarchy and completely redesigned in section, introduce significant portions of
green areas, parking sites,
pedestrian routes, cycle
tracks and trade areas;*
*- new materials and urban
design facilities, chosen in
view of a carefully designed,
recognizable urban image,
give shape to a typological
abacus given to the city for
driving its future renovation.*

Project:
Studio De Ferrari Architetti
con Studio Cecilia,
Studio S.I.P.E.T
Client:
Città di Ciampino

53

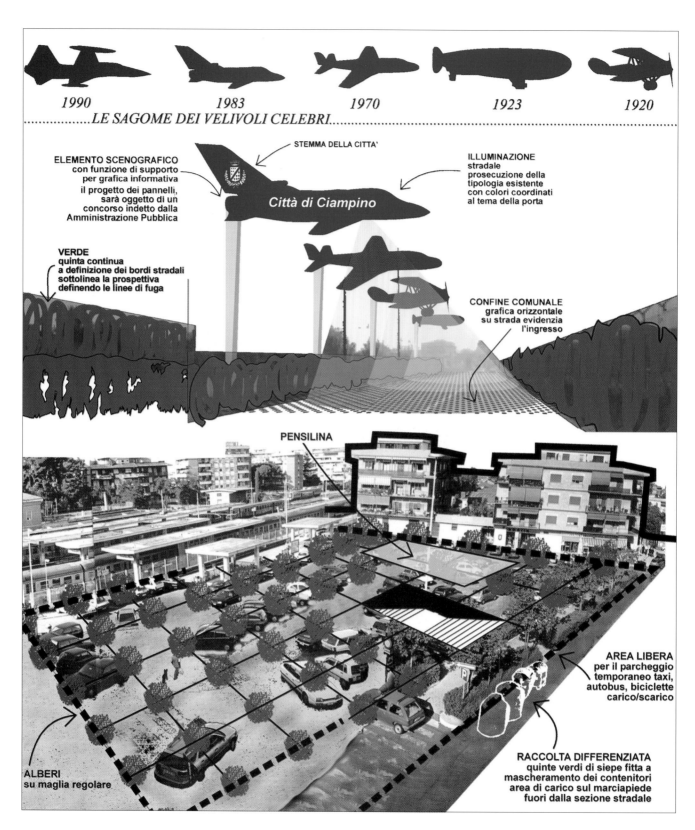

1990 **1983** **1970** **1923** **1920**

LE SAGOME DEI VELIVOLI CELEBRI

STEMMA DELLA CITTA'

ELEMENTO SCENOGRAFICO
con funzione di supporto
per grafica informativa
il progetto dei pannelli,
sarà oggetto di un
concorso indetto dalla
Amministrazione Pubblica

ILLUMINAZIONE
stradale
prosecuzione della
tipologia esistente
con colori coordinati
al tema della porta

Città di Ciampino

VERDE
quinta continua
a definizione dei bordi stradali
sottolinea la prospettiva
definendo le linee di fuga

CONFINE COMUNALE
grafica orizzontale
su strada evidenzia
l'ingresso

PENSILINA

AREA LIBERA
per il parcheggio
temporaneo taxi,
autobus, biciclette
carico/scarico

ALBERI
su maglia regolare

RACCOLTA DIFFERENZIATA
quinte verdi di siepe fitta a
mascheramento dei contenitori
area di carico sul marciapiede
fuori dalla sezione stradale

54

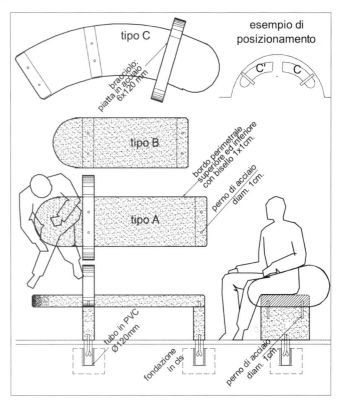

palo diam. 14 cm
cornice in estruso di alluminio
supporto per la grafica
cancellata
pavimentazione autobloccane 10x10x8 cm
cornice in estruso di alluminio
cornice in estruso di alluminio
pannelli pubblicitari luminosi
elemento per illuminazione integrato alla struttura del cassonetto
pannello pubblicitario (140x200)
stuttura di supporto in tubolare diam.140mm
illuminazione pedonale integrata
parapetto
r = 150 cm
parapetto
transenna

esempio di posizionamento

tipo C
bracciolo: piatta in acciaio 6x120 mm
C' C
tipo B
bordo perimetrale superiore ed inferiore con bisello 1x1cm.
perno di acciaio diam. 1cm.
tipo A
tubo in PVC Ø120mm
fondazione in cls
perno di acciaio diam. 1cm.

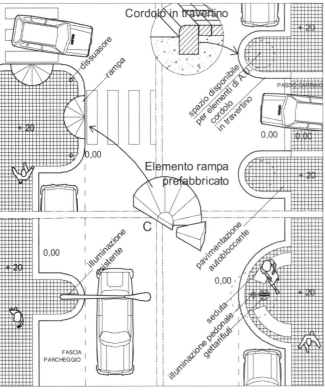

Cordolo in travertino
dissuasore
rampa
+ 20
spazio disponibile per elementi di A.U.
cordolo in travertino
PASSO CARRAIO
0,00
0,00
0,00
Elemento rampa prefabbricato
C
+ 20
pavimentazione autobloccante
0,00
0,00
illuminazione esistente
illuminazione pedonale
+ 20
seduta
gettarifiuti
+ 20
FASCIA PARCHEGGIO

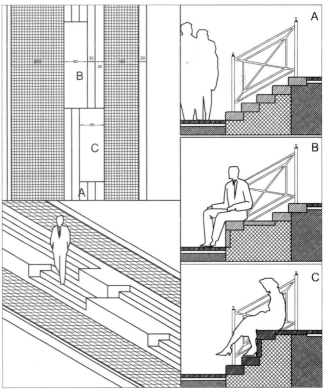

A
B
C
A
B
C

È un progetto innovativo che propone spazi pubblici e un parco urbano integrati al nuovo grande complesso residenziale, commerciale e artigianale in costruzione sul sedime delle ex acciaierie Ferrero. Un articolato tracciato di percorsi pedonali e ciclabili, ora naturalistici ora dal carattere più urbano, collega le diverse parti dell'impianto costruito con il resto della città attraverso valli, prati, boschi, giardini, vie e piazze a tema.

Nel parco, la "via dell'acciaio", così chiamata perché in diretto collegamento con gli ex impianti industriali ora trasformati in spazi artigianali di grande suggestione, è un lungo asse attrezzato per attività ludiche in funzione delle diverse fasce di età e che si conclude in un arena naturalistica. Anche quando la vegetazione lascia spazio al manufatto edilizio (passerelle, ponti, piazze, strutture commerciali,...) questo la ripropone interpretata:

- ringhiere come cespugli, in tondino e piatti di ferro;
- pavimentazioni con immagine naturalistica, in pietra naturale e cubetti di cemento in diverse tonalità del verde e grigio;
- coperture trasparenti serigrafate con tappeti di foglie.

Total surface: 174000 sqm

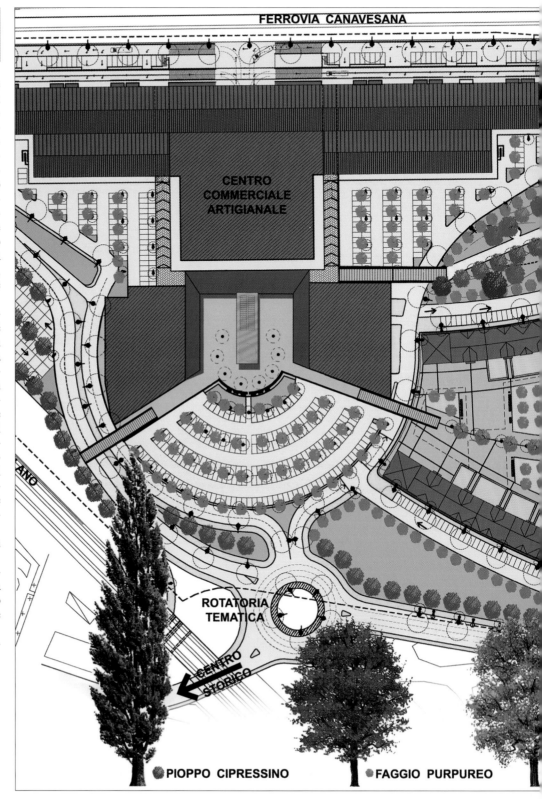

FERROVIA CANAVESANA

CENTRO COMMERCIALE ARTIGIANALE

ROTATORIA TEMATICA

CENTRO STORICO

● PIOPPO CIPRESSINO   ● FAGGIO PURPUREO

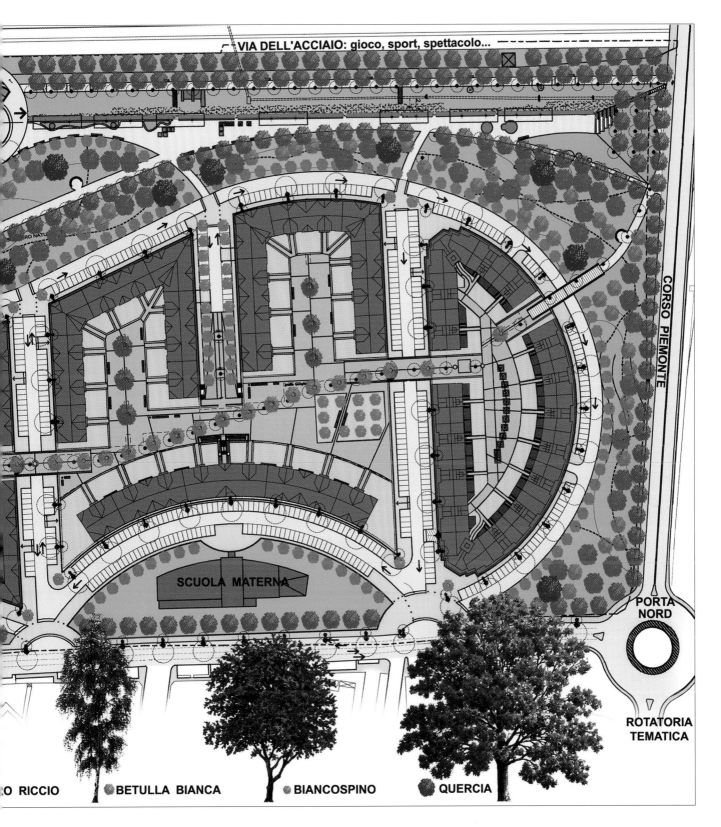

VIA DELL'ACCIAIO: gioco, sport, spettacolo...

CORSO PIEMONTE

SCUOLA MATERNA

PORTA NORD

ROTATORIA TEMATICA

○ RICCIO   ●BETULLA BIANCA   ● BIANCOSPINO   ● QUERCIA

57

2001
Park and public area on the former Ferrero Steelworks site
Settimo, Turin

An innovative project dealing with public areas and a town park incorporated in the new large residential, commercial and handicraft complex under construction on the site where once stood the Ferrero steelworks. A complex layout of pedestrian walkways and cycle tracks, where the naturalist vocation alternates with a more urban character, connects the various parts of the built-up structure to the rest of the town in a thematic sequence of valleys, meadows, woods, gardens, streets and squares. Inside the park, the "steel way", named like that for it stands in direct connection with the former industrial plants today transformed into a highly evocative handicraft area, is a long axis fitted with recreation facilities targeted to a variously aged audience and which terminates into a natural stage. Even when the vegetation leaves room to the built-up area (walkways, bridges, squares, shops,...), its presence is anyway evidenced by:
- bush-shaped railings made of tubular and flat iron;
- natural-looking paving made from natural stone and concrete blocks painted in a variety of green and grey shades;
- clear roof tops with stencilled leaf covers.

Project:
Studio De Ferrari Architetti con L. Rolle
Main contractor:
Impresa Rosso
Steel structures:
Stramandinoli
Paving: Pavesac

Riqualificazione del Corso Francia
Torino

Regia progettuale per la riqualificazione del corso Francia e delle piazze Bernini, Rivoli, Massaua.

La realizzazione della Linea Metropolitana è occasione per la riqualificazione del Corso, uno dei principali e più lunghi assi rettori dell'urbanistica torinese. Sulla via di Francia, il settecentesco tracciato collegava il Palazzo Reale al Castello di Rivoli, prestigiosa dimora sabauda.
Fra i concetti proposti ed in fase di applicazione:
- conferma e potenziamento dell'unità funzionale ed espressiva con l'adozione di segni, materiali e attrezzature unitari (alberature, illuminazione,...);
- ridimensionamento della funzione "asse di traffico" in favore della qualità residenziale (allontanamento dall'edificato del transito veloce e della sosta auto, potenziando spazi pedonali, piste ciclabili,...);
- rotatorie nelle tre grandi piazze oggi percepite quali incroci stradali;
- istituzione di due nuove rotatorie (largo Francia, largo Brunelleschi);
- integrazione con le emergenze della linea metropolitana.

Boulevard length: 5000 m
Total surface: 230000 sqm

2003
Renovation of
Corso Francia
Turin

Design direction for the renovation of Francia and Bernini, Rivoli, Massaia squares.

The construction of the underground has provided the occasion to renovate the boulevard, one of the main and longest roads underlying Turin's town planning system. Along via di Francia, the eighteenth-century layout linked Palazzo Reale to the Rivoli Castle, the prestigious residence of the Savoy family.
Among the concepts proposed and currently at implementation stage:
- confirmation and maximisation of the functional and expressive unity by the adoption of standardised signage, materials and facilities (tree rows, lighting fixtures...);
- reappraisal of the "traffic axis" function in favour of the residential quality (re-routing of vehicle traffic and parking away from the built-up area, extension of pedestrian areas, cycle tracks,...);
- roundabouts in the three large squares today perceived as street crossing;
- creation of two new roundabouts (largo Francia, largo Brunelleschi);
- integration with the underground.

Project direction:
Studio De Ferrari Architetti
Historical Consultant:
V. Comoli
Paving: Cementubi
Client:
Città di Torino

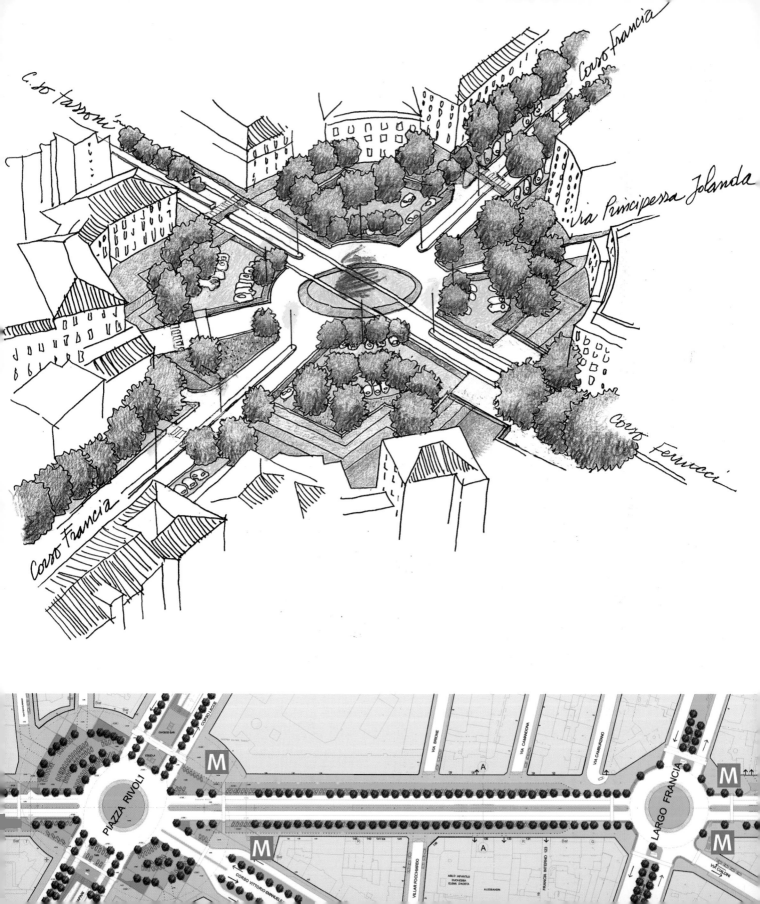

Il sistema di pensiline attesa mezzi pubblici per le linee bus della Provincia di Torino è progettato e collocato sul percorso Torino Pinerolo Sestriere e potrà, in futuro, essere esteso ad altri percorsi.

Il sistema è costituito da una pensilina in diverse versioni (con vetratura, con ripari laterali,...) e dalla palina segnaletica.

La struttura portante della pensilina è costituita da tre supporti uguali in trafilato di ferro "a doppio T" collegati a terra. Un unico tavolato ("maschiato" e trattato con impregnanti) realizza seduta, schienale, copertura. La colorazione trasparente del legno è grigia per i tratti in pianura, marrone per quelli montani.

Sullo schienale, sotto una robusta protezione in metacrilato, sono ospitate le informazioni per gli utenti.

La palina segnaletica assume maggiore riconoscibilità e si coordina alla pensilina assumendone di questa la configurazione ad angolo retto montato sulla diagonale.

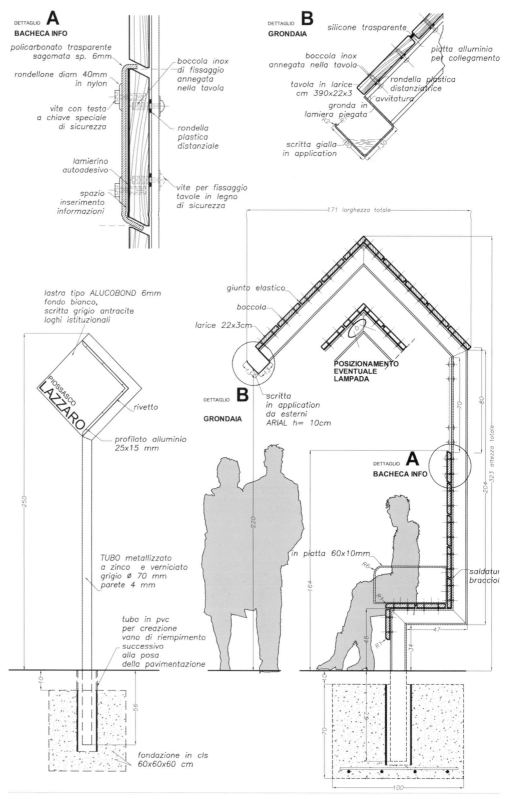

DETTAGLIO **A**
BACHECA INFO

policarbonato trasparente sagomata sp. 6mm

rondellone diam 40mm in nylon

vite con testa a chiave speciale di sicurezza

lamierino autoadesivo

spazio inserimento informazioni

boccola inox di fissaggio annegata nella tavola

rondella plastica distanziale

vite per fissaggio tavole in legno di sicurezza

DETTAGLIO **B**
GRONDAIA

silicone trasparente

boccola inox annegata nella tavola

tavola in larice cm 390x22x3

gronda in lamiera piegata

scritta gialla in application

piatta alluminio per collegamento

rondella plastica distanziatrice avvitatura

lastra tipo ALUCOBOND 6mm fondo bianco, scritta grigio antracite loghi istituzionali

PIOSSASCO LAZZARO

rivetto

profilato alluminio 25x15 mm

TUBO metallizzato a zinco e verniciato grigio ∅ 70 mm parete 4 mm

tubo in pvc per creazione vano di riempimento successivo alla posa della pavimentazione

fondazione in cls 60x60x60 cm

171 larghezza totale

giunto elastico

boccola

larice 22x3cm

POSIZIONAMENTO EVENTUALE LAMPADA

DETTAGLIO **B**
GRONDAIA

scritta in application da esterni ARIAL h= 10cm

DETTAGLIO **A**
BACHECA INFO

in piatta 60x10mm

saldatura braccioli

323 altezza totale
204
80
70
164
46
34
47
70
100

2003
Suburban transport system stop,
Province of Turin

The system of stops and shelters for the bus route of the Province of Turin is designed and located along the Turin Pinerolo Sestriere route and is deemed to be extended to other routes in the future.

The system consists of variously sized shelters, coming in different versions (with glass, side protections, etc.), and of a signage post.

The bearing structure of the shelter is constituted by three "double T-shaped" iron bases embedded to the ground. A single boarding (with a filler coating) provides seat, back, roofing. The transparent coating of the wood is grey for plain land stretches and brown for uphill routes.

Beneath a solid methacrylate layer, the seat gathers all the information aimed to the passengers.

The signage post adds to recognizability and becomes one with the shelter while sharing its straight-angle configuration placed oblique.

Project:
Studio De Ferrari Architetti
Main contractor:
Comunicare
Client:
Provincia di Torino

L'abitato del comune di Emarese è costituito da alcune frazioni a circa m 1000 di altitudine sulla strada che, attraverso il Colle del Joux, unisce San Vincent alla valle di Ayas.

In un ambiente quanto mai suggestivo, indenne da inquinamenti turistici, gli aspetti paesaggistici, le caratteristiche edilizie, le attività lavorative della tradizione sono tutte ancora sorprendentemente presenti e vissute in modo autentico.

Una giovane ed efficiente Amministrazione ha inteso cogliere l'occasione del necessario rinnovo di alcune attrezzature di arredo per dotare l'intero territorio comunale di nuovi impianti che potessero migliorarne le funzioni e potenziarne l'identità.

Illuminazione, cippi di confine, bacheche informazioni, riparo cassonetti rifiuti, albo pretorio,... hanno adottato un comune linguaggio che reinterpreta stilemi e materiali della tradizione locale. Eseguiti da artigiani della valle, in legno di larice trattato al naturale e tratti terminali in "catramina") sono caratterizzati dal generoso supporto a sezione quadrata che riporta, in pirografia, le iscrizioni del caso. In osservanza alla autonomia regionale, le iscrizioni sono bilingue: in nero quelle in italiano, in rosso quelle in *patois*. I colori della Valleé.

Systems: lighting, signs, info panels, litters,...

2004
***Urban design
in the mountains***
Emarese, Aosta

*The built-up area of Emarese
is constituted by a few su-
burbs at approximately 1,000
mt. height on the road which,
through the Joux Pass, connects St. Vincent to the Ayas
valley.*

*In what stands out as a very
picturesque setting, still un-
contaminated by tourist pol-
lution, the scenery components, the building characteristics, the trades belonging
to the local tradition are still
surprisingly and genuinely
active.*

*A young, efficient Admini-
stration has wanted to take
advantage of the needed renovation of a few urban design facilities to fit the entire
area with new systems suitable of upgrading the functions and enhancing the local
identity.*

*Lighting, border stones,
information boards, wheelie
bin shelters, municipal notice
board... have adopted a shared language which celebrates the stylistic canons and
materials of the local heritage. Crafted by local craftsmen out of natural-finished
larch wood and "tar-clad"
ends, they are characterised
by a large square-section
support bearing the relevant
pyrographed inscriptions. In
keeping with the region autonomy, inscriptions are bilin-
gual: Italian in black, "patois" in red. The colours of
the Valley.*

Project:
Studio De Ferrari Architetti
Client:
Comune di Emarese

69

Accessorio posacenere per gettarifiuti "Sabaudo"

Il porta rifiuti "Sabaudo", progettato dallo Studio all'inizio degli anni '90 ed adottato da numerose città italiane ed europee, si arricchisce dell'accessorio posacenere.

Ancora in pressofusione di alluminio, si inserisce in una delle due bocche presenti nel Sabaudo. Per l'evacuazione delle ceneri il posacenere si rimuove comodamente ad apertura del porta rifiuti agendo su una paratia a molla. Sulla superficie esterna il foro è contornato da rilievi, integrati nella fusione stessa, per lo spegnimento del mozzicone e per segnalarne la funzione.

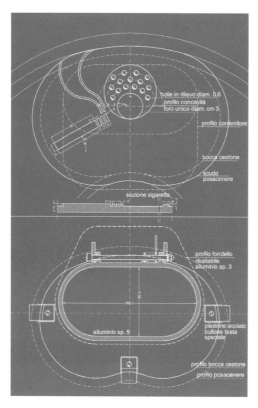

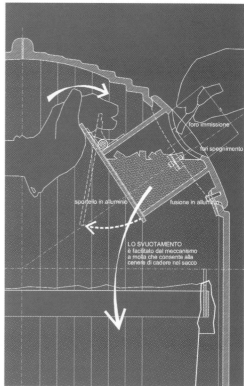

Designed by the architecture practice in the early Nineties and adopted by several Italian and European cities, the dustbin "Sabaudo" is upgraded by the addition of an ash-tray.

Still made from aluminium die-cast, it fits into one of the two mouths Sabaudo comes with. To dispose of the ash, the ash-tray can be comfortably taken off by opening the garbage bin through a spring-operated door. On the outer surface, the hole is surrounded by a raised pattern incorporated in the die-cast itself, aimed at extinguishing cigarette butts and at informing people about its presence.

Design:
Studio De Ferrari Architetti
Client:
Aluhabitat

Elementi per illuminazione "Sistema Quattro"

Sistema di supporti in acciaio per illuminazione urbana ad ampia flessibilità di impiego grazie alla gamma di bracci (lineare, curvo, portastendardo,...) e al loro particolare assemblaggio a baionetta (fino a 4 bracci per palo).
Due versioni: "stradale" (H 9 m) e "pedonale" (H 5 m).
Pali circolari e bracci con sezione quadra montati sulla diagonale. Una basetta modanata in fusione di alluminio, copre l'unione a terra.
Il sistema è stato addottato dalla Città di Torino per gli assi di penetrazione e da numerosi altri centri minori.

A system of steel fixtures for largely versatile urban lighting purposes thanks to the range of arms (linear, curved, banner-holder,...) and to their interesting bayonet lamp-holder (up to 4 arms per post).
Two versions available: "road" (H 9 m) and "pedestrian" (H 5 m).
Circular posts and arms with square section mounted oblique. An aluminium die-cast base conceals the fastening device to the ground. The system has been adopted by the Municipality of Turin along the incoming roads and by a variety of smaller towns.

Design:
Studio De Ferrari Architetti
Client:
Ruud Lighting Europe

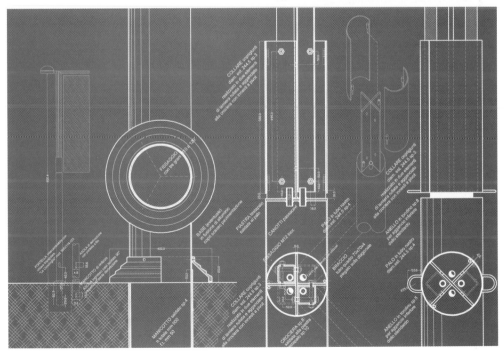

Impianto informativo e pubblicitario "Mupi"

Il "Mupi" fa parte delle attrezzature di Arredo Urbano che la IGP Decaux, azienda internazionale leader del settore AU, propone alle Amministrazioni pubbliche nelle gare per l'arredo coordinato della città. Pertanto, tali attrezzature non sono disponibili sul mercato ma seguono una specifica strategia commerciale: fornitura, posa e manutenzione a carico della impresa aggiudicataria che in contropartita avrà lo sfruttamento degli spazi pubblicitari, ove predisposti, per un numero di anni convenuto.

Le due facciate retro illuminate (140 x 210 cm) supportano informazioni istituzionali e pubblicità commerciale.

Varianti: con distributore di piantine turistiche, con Punto Info interattivo.

In pressofusione di alluminio verniciato, dotato di una solida espressività si relaziona a differenti caratteri ambientali. Adottato dalla città di Torino in occasione dei Giochi Olimpici, potrà essere proposto in altre situazioni dai caratteri compatibili.

VISTA FRONTALE

VISTA LATERALE

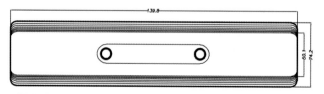

SEZIONE ORIZZONTALE

2005
"Mupi" information and advertising facility

"Mupi" is part of the Urban Design facilities which IGP-Decaux, the international leading company operating in the U.D. industry, submits to the attention of public administrations over co-ordinated urban design tenders. Therefore such facilities are not commonly available on the market but comply with a highly focused commercial strategy: supply, installation and maintenance are trusted with the contractor who, in turn, will have the opportunity to take advantage of the previously appointed advertising areas for a given number of years.

The two back-lit fronts (140 x 210 cm) bear institutional information and trade advertising.

Variants available: tourist maps dispenser with interactive Info Desk.

Made from a coated aluminium die-cast and reflecting great expressiveness, it easily fits to a variety of environmental contexts.

Implemented by the City of Turin on occasion of the Olympic Games, it is fit of being applied to other sites sharing the same vocation/traits.

Design:
Studio De Ferrari Architetti
Client: IGP Decaux

Lo "Specchio della Città" fa parte delle attrezzature di Arredo Urbano che la IGP Decaux, azienda internazionale leader del settore AU propone alle Amministrazioni pubbliche nelle gare per l'arredo coordinato della città. Pertanto, tali attrezzature non sono disponibili sul mercato ma seguono una particolare strategia commerciale.

Specchiatura e guarnizione della base realizzate in pressofusione di alluminio, supporto tubolare in acciaio. Verniciatura goffrata antigraffio. I testi, plurilingue prevedono anche la versione Braille. È previsto l'attacco a terra per pavimentazioni sia continue (asfalto,...) che discontinue (pietra,...). Dotato di sommessa espressività, si relaziona a differenti caratteri e linguaggi ambientali.

Adottato dalla città di Torino in occasione dei Giochi Olimpici, potrà essere proposto in altre situazioni dai caratteri compatibili.

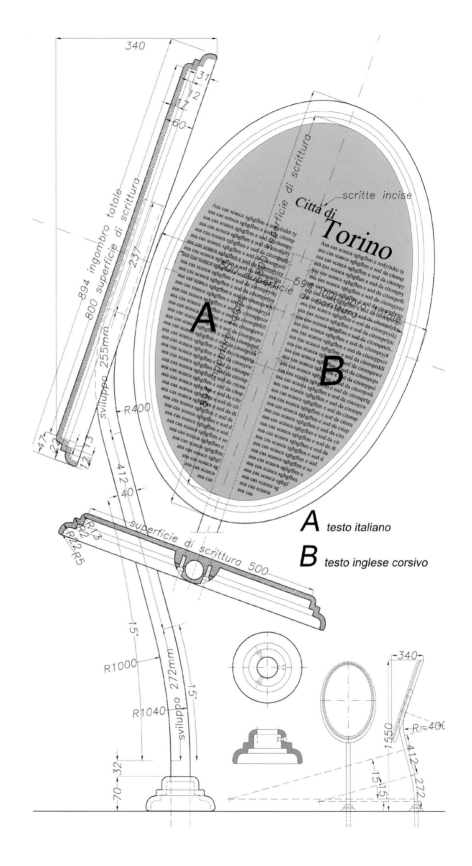

A — testo italiano

B — testo inglese corsivo

The "Mirror of the City" is part of the Urban Design facilities which IGP Decaux, the international leading company operating in the U.D. industry, submits to the attention of public administrations over co-ordinated urban design tenders. Therefore such facilities are not commonly available on the market but comply with a highly focused commercial strategy.

Mirror and base gasket consist of an aluminium die-cast and a steel tubular frame. Scratch-proof embossed coating. The multi-lingual information is also available in the Braille version.

A ground fastening system is available for different road surfaces (tarmac and stone, cobbled streets,...).

Featuring understated expressiveness, it easily fits to a variety of environmental contexts and languages.

Designed and adopted by the city of Turin on occasion of the Olympic Games, it is fit of being applied to other sites sharing the same vocation/traits.

Design:
Studio De Ferrari Architetti
Client: IGP Decaux

Lampione "Vertigo"

Impiego previsto in zone pedonali, parchi, giardini.
Una spirale in tubo metallico con parete a forte spessore ospita i cavi elettrici ed è l'inconsueto e minimale collegamento tra palo e corpo illuminante. Ad emissione diretta, conforme alle norme sull'inquinamento luminoso. Calotta in alluminio con sistema a sganciamento trattenuto che ne facilita la manutenzione.

To be installed in pedestrian areas, parks and gardens.
A thick metal tubular spiral structure accommodates the electric wires and is the unusual, minimalist connection between pole and lighting fixture. Shedding direct light, it complies with low-pollution regulations. Aluminium cap with hold-back release system allowing for easy maintenance.

Design:
Studio De Ferrari Architetti
Client:
Schréder

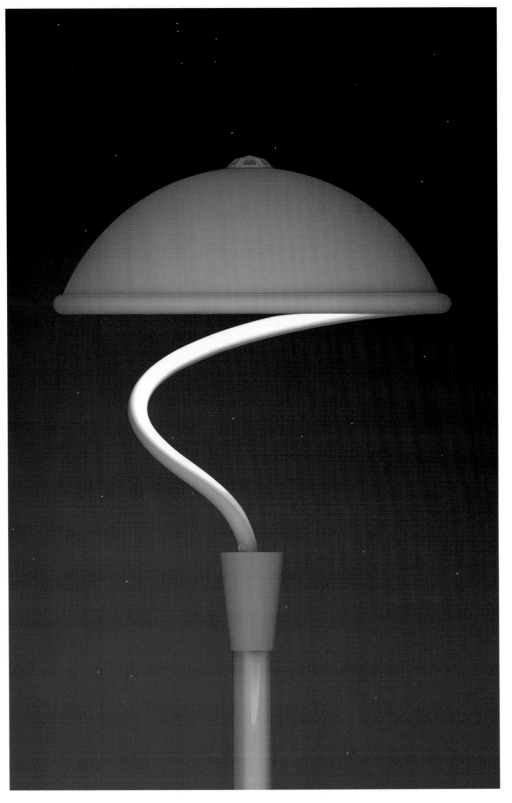

Autobloccante grigliato "Foglia"

Massello in cls vibrocompresso per pavimentazioni erbose carreggiabili.
Si differenzia dalla produzione corrente per il disegno evocativo ottenuto dalla sua posa: un tappeto erboso sul quale sono cadute le foglie lobate di un immaginario acero. Il 40% della superficie è la parte in cls, il restante 50% è l'erba negli interstizi.

Cls vibratory road roller-based block for meadowy driveways.
It differs from the standard production thanks to the evocative design delivered by installation: a meadow onto which the lobed leaves of an imaginary maple-tree have fallen. 40% of the surface is the cls-clad portion, the remaining 50% is the grass in the cracks.

Design:
Studio De Ferrari Architetti
Client: Cementubi

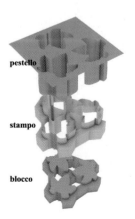

pestello

stampo

blocco

Riqualificazione di corso Nuova Italia
Santhià, Vercelli

L'intervento, scelta la parziale pedonalizzazione, mira a conferire alla via principale una maggiore identità ed aulicità ed essere modello per eventuali, ulteriori interventi. La nuova pavimentazione valorizza lo storico irregolare tracciato:
- centralmente, la sottile canaletta di raccolta acque;
- ai lati, fasce in basalto di larghezza costante addossate agli edifici e campi in lastre di porfido (cm 70 x 100, sp. cm 12).

Sul suolo, 33 medaglioni in bronzo raccontano gli eventi storici e i personaggi della Città mentre due file di borchie distinguono tra carreggiata e fascia dedicata ai dehors, costituendo anche appiglio per le tende del mercato settimanale.

Gli apparecchi di illuminazione sono seriali e montati su bracci, appositamente prodotti, ribaltabili contro la parete per consentire il passaggio dei carri dello storico carnevale.

Length: 500 sqm
Lot surface: 4700 sqm

2005
Renovation
of corso Nuova Italia
Santhià, Vercelli

The partial pedestrianization having been approved of, the project aims at achieving greater identity and solemnity to the main road, while setting a model to future projects. The new paving enhances the historical asymmetric layout:
- in the centre, the water drainage system;
- at the sides, equally wide basalt strips leant up against the buildings and porphyry slab portions (70 x 100 cm., 12 cm. thick).
On the ground, 33 bronze roundels trace back the historical events and figures of the town, while two rows of knobs distinguish between thoroughfare and outdoor area, thus providing a holdfast to the awning of the stalls of the weekly market place as well. Lighting-fixtures are mounted onto purpose-built arms, collapsible against the wall in order to permit the transit of the historical Carnival floats.

Project:
Studio De Ferrari Architetti
con M. Chiocchetti
Main Contractor:
Impresa Porfido 99
Client: Città di Santhià

La fermata è centrale per il sistema dei trasporti urbani: posizionata di fronte alla principale stazione ferroviaria, su essa convergono tram, autobus e metropolitana.

La nuova pensilina ad ala di gabbiano (alluminio sp. 10 mm), lunga 26 m, si adegua al sistema assiale presente: divisa in due parti speculari, ciascuna è costituita da quattro tratti uguali fra loro ma posizionati ad altezza verso il centro crescente. I pennoni portanti sono attrezzati per stendardi e bandiere.

The bus stop is pivotal to the urban means of transport system: situated opposite the main railway station, trams, buses and tube gravitate all around it.

The new seagull wing-shaped shelter (10 mm. thick aluminium), 26 mt. long, fits with the current axial system: split into two identical parts, each of them consists of four equal parts the height of which is positioned in direction of the uppermost centre. The bearing poles are designed to be fit to bear banners and flags.

Project:
Studio De Ferrari Architetti
Structural Project:
F. Maritano
Main Contractor:
Gruppo Bodino
Client:
GTT Trasporti Torinesi

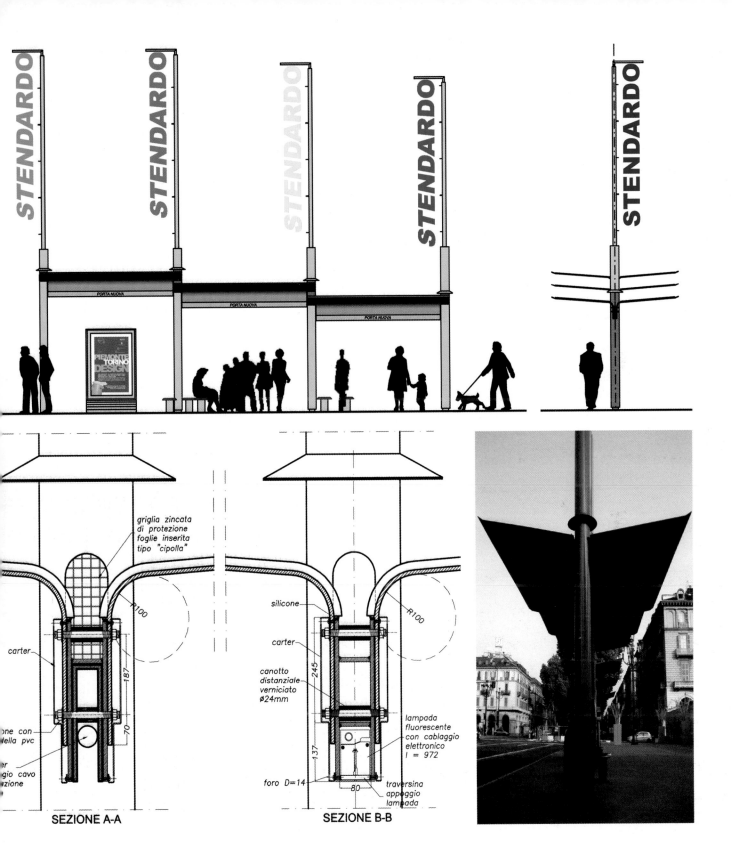

STENDARDO

STENDARDO

STENDARDO

STENDARDO

STENDARDO

PORTA NUOVA

PORTA NUOVA

PORTA NUOVA

griglia zincata
di protezione
foglie inserita
tipo "cipolla"

R100

carter

187

70

one con
ella pvc

gio cavo
zione

SEZIONE A-A

silicone

carter

canotto
distanziale
verniciato
ø24mm

245

R100

lampada
fluorescente
con cablaggio
elettronico
l = 972

137

foro D=14

80

traversina
appoggio
lampada

SEZIONE B-B

2006

Piano dell'Arredo Urbano

Sanremo, Imperia

Il territorio, attraverso le manifestazioni storiche, urbanistiche, morfologiche, funzionali è la base per il progetto di AU.
Mediante l'analisi ambientale si sono rilevate le specificità dei diversi siti che hanno consentito la suddivisione del territorio in funzione delle differenti identità:
- **Luoghi speciali** (Water front): perimetrazione di quelle parti di città per le quali sono necessarie scelte ed indicazioni a scale di pianificazione superiori o diverse da quella del piano AU.
- **Ambiti omogenei** (Città di fondazione, Centro storico commerciale, Città turistica Levante, Città turistica ponente, Nuova espansione): perimetrazione di quelle parti di città cui è stata riconosciuta una omogeneità in base ai parametri già indicati. Per ogni ambito è stata definita l'"immagine ambientale di riferimento": cioè una sintesi della specifica scena urbana che sarà potenziata mediante la definizione dei diversi sistemi di AU (suolo, illuminazione, colorazioni,..) e dei relativi criteri di posizionamento. Per ogni ambito sono stati altresì individuati i **"Luoghi emergenti"**: strade o piazze che, per il particolare significato, dovranno essere oggetto di specifico progetto.

INFORMAZIONE
informazioni private non regolamentate
tipologie di differente impatto visivo non contribuiscono alla definizione ambientale (da regolamentare)
INSEGNE COMMERCIALI
tipologie di eccessivo ingombro visivo in rapporto alla larghezza viaria (da regolamentare)
Mercato
Piazza Eroi Sanremesi
viste prospettiche negate da cartellonistica invasiva
grafiche turistiche posizionate in modo inopportuno
Piazza S.Sirio
diverse tipologie di informazioni accumulate e pertanto poco efficaci
Piazza Cesare Battisti
ACCESSORI PRIVATI
attrezzature sovente mancanti di coordinamento tipologico e ambientale

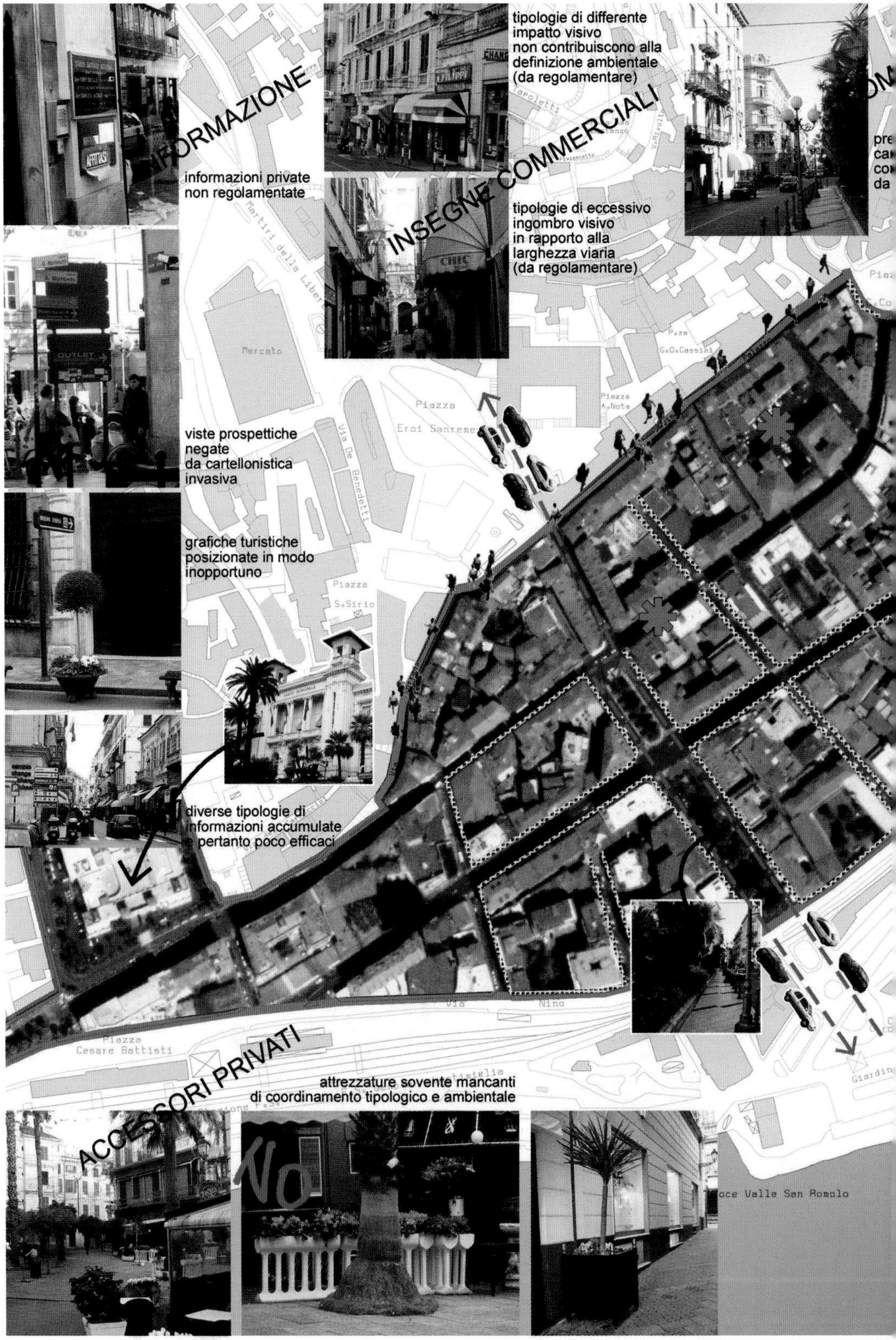

Projects for special sites:
40000 sqm

PAVIMENTAZIONI

BOREA CEMENTI S.REMO

la piastrella in cemento con disegno a cestino è significativo riferimento per l'immagine dell'ambito

soluzioni diverse nelle vie centrali non valorizzano l'ambiente

le diverse tipologie storiche utilizzate per le vie del connettivo caratterizzano l'ambiente

positivo esempio di nuova realizzazione integrata con il luogo

ILLUMINAZIONE

via Matteotti: illuminazione tecnologica che non offre componenti espressive

COLORE

il Piano del colore esalta efficacemente il carattere urbano e "rivierasco" del sito

lampioni e dissuasori di disegno '800 coerenti con l'immagine dell'ambito

le lampade a temperature differenti rendono disomogenea la percezione notturna. Illuminazione commerciale non coordinata

ARISTO

la facciata del teatro Ariston non corrisponde alla fama del sito

DEHORS

i dehors, elemento fondamentale in un sito turistico, necessita di uno specifico regolamento

la modalità di dissuasione della sosta non porta vantaggi alla percorrenza pedonale

SOSTA

inopportuna area taxi di fronte ad una presenza monumentale

la sosta occupa lo spazio in modo indiscriminato

AIUOLE

cordolo e recinzione caratterizzanti

2006
Urban Design Plan
Sanremo, Imperia

Based on historical, urban design, morphological, functional events, the territory is the platform to the U.D. project. The environmental survey carried out has highlighted the specific vocation of the different sites which have allowed to divide the territory in the light of the different identities:
*- **Special sites** (Water front): bordering of those portions of town clearly requiring choices and guidelines on a planning scale higher or other than provided for by the U.D. plan.*
*- **Homogeneous areas** (Historic town, Commercial historic town, East tourist town, West tourist town, New Expansion): bordering of those portions of town which have been acknowledged homogeneity based on previously agreed standards. Each and every area has been associated with a "benchmark environmental image", namely an overview of the specific urban scene that will be enhanced by defining the various systems of U.D. (ground, lighting, colours,...) and the relative location criteria. In addition "Emerging sites" have been identified with every area: roads/streets or plazas which, due to their significance, will have to be addressed by a specific project.*

Project:
Studio De Ferrari Architetti
con ICIS, A. Palmero
Client:
Città di Sanremo

85

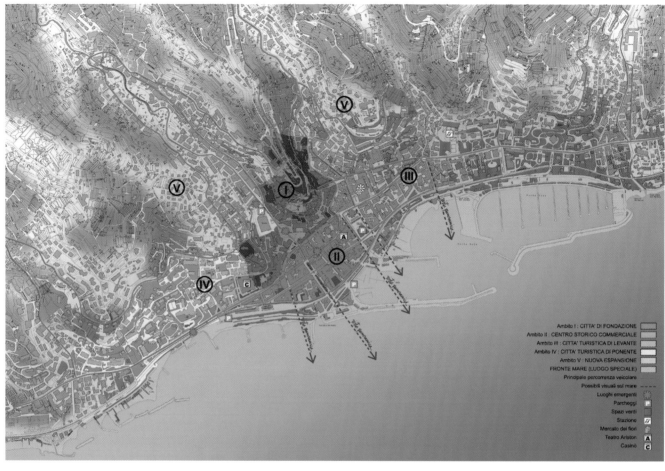

Ambito I : CITTA' DI FONDAZIONE
Ambito II : CENTRO STORICO COMMERCIALE
Ambito III : CITTA' TURISTICA DI LEVANTE
Ambito IV : CITTA' TURISTICA DI PONENTE
Ambito V : NUOVA ESPANSIONE
FRONTE MARE (LUOGO SPECIALE)

Principale percorrenza veicolare
Possibili visuali sul mare
Luoghi emergenti
Parcheggi
Spazi verdi
Stazione
Mercato dei fiori
Teatro Ariston
Casinò

ILLUMINAZIONE

L5 - Palo Sanremo urbano

Caratteristiche	Flessibile sistema composto da palo tipo "Sanremo urbano", mensole a braccio di serie (cm. 60, cm. 90), elemento illuminante di serie a luce diretta con eventuale riflettore interno. Posizionabile verso l'alto o verso il basso.
Collocazione	Ambito II: Vie del connettivo da valle a monte Ambito III: Vie del connettivo da valle a monte
Descrizione	Colore supporto: grigio con polvere di alluminio da campione. Colore emissione luminosa: oduri metallici 70/150 W serie Flaminia B vetro opalino.

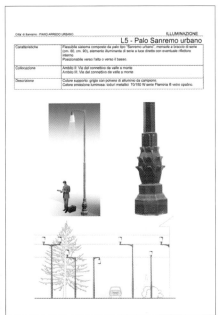

ARREDI

A17 - Ricovero cassonetti

Caratteristiche	La schermatura dei cassonetti è necessaria specie nelle zone auliche e turistiche. In assonanza con il dissuasore o transenna già presente nella città (vedi scheda A7) si propone un elemento da esso derivato, composto da montanti e pannelli grigliati diversamente componibili atti a risolvere situazioni dimensionalmente differenti.
Collocazione	Ove vi sia necessità di realizzare isole ecologiche.
Descrizione	Costituito da elementi staccati fra loro composti da montanti in tubolare e motivi in profilati quadri con inserto stemma della città ritagliato al laser su piastra metallica. Moduli H = 170 assemblabili secondo necessità di contenimento. I montanti esterni potranno essere eventualmente protetti con il posizionamento di dissuasori puntuali del tipologia che il P.A.U. propone nell'Ambito.

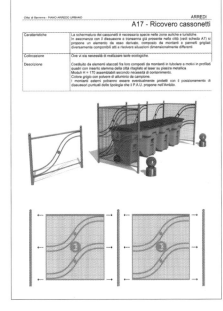

PAVIMENTAZIONI

P6 - Piastrella "tipo Sanremo"

Caratteristiche	La progressiva sostituzione della piastrella Borea sarà realizzata nella Città Turistica Levante e nella Città Turistica Ponente con l'impiego di un nuovo elemento di pavimentazione "tipo Sanremo" che presenta, rispetto alla tradizionale "Borea", analoghe valenze decorative, dimensioni maggiori, una decisamente superiore resistenza strutturale.
Collocazione	Ambito III Città Turistica Levante: Connettivo Ambito IV Città Turistica Ponente: Connettivo
Descrizione	Dimensioni 30x30 sp. 5 cm. Strato superficiale compresso ad alta resistenza con finitura eventualmente levigata (da verificare) e trattamento impermeabilizzante. Proposto in 3 disegni diversi: floreale, con stemma della città, liscio per realizzare eventuali tagli sui bordi laterali. Possibilità di colorazioni diverse.

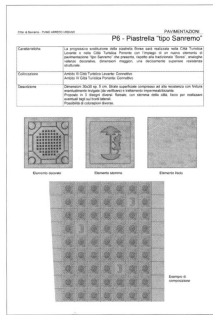

Elemento decorato   Elemento stemma   Elemento liscio

Esempio di composizione

Architetture
Architectures

Area ex Remmert

Ciriè, Torino

La città di Ciriè vive un momento di trasformazione, da attivo polo industriale a centro ricco di servizi propri del settore terziario. Non a caso, proprio sulle spoglie del primo grande stabilimento industriale ciriacese - la industria tessile Remmert dismessa alla fine degli anni '60 - si sta completando una city finanziaria: una downtown in piena regola, con spazi pubblici, attività commerciali e ricreative, abitazioni ed ampi giardini collegati ad un parco urbano di interesse storico.

Il progetto rappresenta il tentativo di coniugare passato e presente in una architettura innovativa, ma del tutto compatibile con quella preesistente. Il complesso, nell'insieme, è strutturato per offrire un'ampia fruibilità degli spazi esterni: una sequenza di giardini e corti pedonali che lo rendono ideale, non solo come spazio commerciale e lavorativo, ma anche come luogo in cui abitare. A perimetro dell'ex fabbrica, corpi edilizi a più piani (le torri) si appoggiano ed emergono da un fabbricato lineare a tre piani, evidenziando e valorizzando il corpo dell'ex opificio. Anche i materiali utilizzati (principalmente intonaco e mattone paramano) si adeguano all'architettura preesistente, rinnovando il valore e l'espressività dell'abbinamento.

Nucleo originario da valorizzare è un gioiello dell'architettura industriale: lo storico stabilimento Remmert, il cosiddetto "Fabbricato Fenoglio" di Pietro Fenoglio, in-

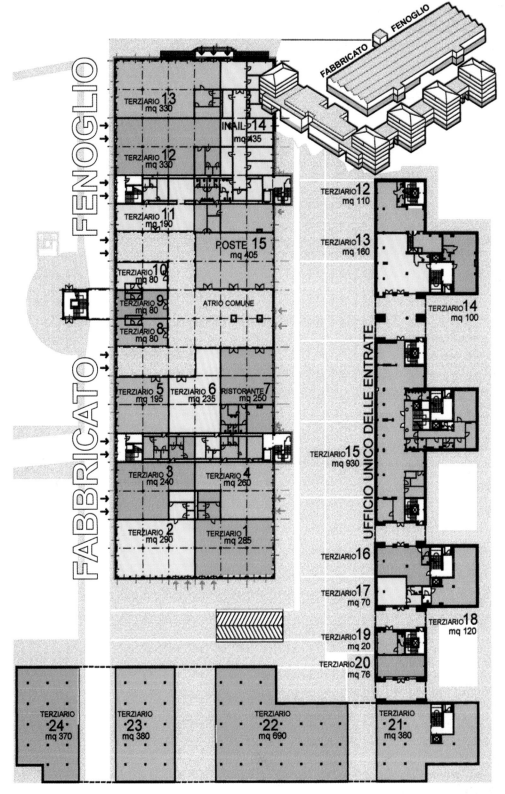

gegnere tra i più creativi del periodo liberty piemontese che progetta questi edifici riservando grande importanza e solennità alle facciate, quasi a conferire ai fabbricati il ruolo di "templi del lavoro". Oggi, questo edificio rinasce a nuova vita: il suggestivo fascino della sua storia ed il valore architettonico del suo disegno sono l'elegante cornice per numerose attività di pubblico interesse, come un ufficio Imposte, la sezione distaccata del Tribunale di Torino, banche ed una galleria di negozi.

Mentre il corpo principale è stato oggetto di restauro conservativo e rifunzionalizzazione, alcune campate dei fabbricati minori, staccate dal corpo principale e giunte a noi in stato di degrado, sono diventate il laboratorio di un recupero innovativo di spazi da destinarsi a manifestazioni e spettacoli. Attraverso una rigorosa scomposizione dei volumi, sono state conservate e restaurate nella parte muraria le facciate principali verso l'esterno, mentre sono state sostituite le coperture in laterizio, ora sorrette da alcuni pilastri originali in ghisa connessi a nuovi controventi metallici.

Lots surface: 29600 sqm
Built surface: 26000 sqm
Green park: 7300 sqm

1998
Former Remmert area
Ciriè, Turin

The town of Ciriè has been going through a transformation phase due to its shift from industrial district to rich service centre typical of the service industry. In this regard, where once stood the first large industry of Ciriè - the textile industry Remmert shut down in the late Sixties - a financial city is being built: an outright downtown with public spaces, shops and recreation facilities, housing projects and wide gardens connected to a town park of great historical relevance.

The project is the attempt at marrying past and present by means of an innovative architecture still fully compatible with the existent one. Altogether the complex is structured to provide wide-ranging use of the outdoor space: a sequence of gardens and pedestrian courtyards which have it stand out fit not only for commercial and business purposes, but also as an ideal housing location. Round the edge of the former factory, multi-storey buildings (towers) are leant up against and stand out from a three-storey linear building, thereby highlighting and enhancing the structure of the former mill. Also the materials used (mainly plasterwork and facing bricks) become one with the earlier architecture, thereby renewing the value and expressiveness of the match.

The original core to be enhanced is a masterpiece of industrial architecture: the

historical works Remmert, the so-called "Fenoglio Building" by Pietro Fenoglio, one of the most creative engineers of the Liberty epoch in Piedmont who designed these buildings by attaching utmost importance and solemnity to the fronts, nearly raising the buildings to the role of "labour shrines". Today this building is born again: the picturesque charm of its history and the architectural value of its design are the elegant backdrop to numberless activities of public interest such as a Tax office, the decentralised offices of the Court of Turin, banks and a shopping arcade.

While the main building has undergone a conservative renovation and is destined to new functions, a few portions of the smaller buildings, detached from the main building and left for years in a state of neglect, have been transformed into a workshop for the innovative renovation of spaces to be destined to events and shows. Through a rigorous breakdown of the volumes, the masonry of the main street-facing facades has been preserved and renovated, while the brickwork cladding, today sustained by a few original cast-iron pillars connected to new metal wind-braces, has been replaced.

Project:
Studio De Ferrari Architetti
Engineering:
Borini Costruzioni
Main Contractor:
Borini Costruzioni
Client:
Ciriè 2000

La grande casa unifamiliare è posizionata nella foresta di conifere che circonda la capitale. All'esterno forme e materiali, all'interno distribuzione, funzioni, manufatti declinano un linguaggio e propongono forme dell'abitare attente alle memorie e consuetudini locali.

Spesse murature in intonaco e porzioni in travatura portante di legno sono intervallate da grandi vetrate in affaccio sul suggestivo paesaggio circostante.

All'interno, lungo un'inconsueta navata centrale a doppia altezza si sviluppano spazi dedicati alle attività di rappresentanza alternati a luoghi più domestici, realizzando un "continuum" caratterizzato dall'uso di materiali naturali e proporzioni auliche ma rassicuranti.

Il piano terreno ospita la piscina coperta, gli spazi diurni e la camera padronale; il primo piano, le camere dei figli, degli ospiti e del personale.

Particolare attenzione è stata posta nella definizione degli interni, disegnati nei dettagli e dove alcune invenzioni di arredo (lampade,...) conferiscono agli ambienti un sofisticato (e desiderato dalla committenza) "italian touch".

Nel parco, una rete di sentieri pavimentati in legno dà vita ad un "percorso salute" sul modello russo, con saune estive ed invernali, docce, attrezzature ginniche e per il relax.

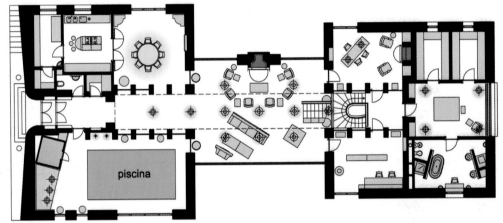

piscina

Lot surface: 6000 sqm
Built surface: 800 sqm

1998
Dacha
Moscow

The large detached house is set in the conifer forest surrounding the capital city. Outdoors forms and materials, indoors layout, functions, objects celebrate a language and feature living archetypes respectful of the local memory and customs.

Thick plastered walls and portions of truss beams are spaced by large windows overlooking the surrounding picturesque landscape.

Inside, along an unusual double-height nave, entertainment space alternates with the space more strictly devoted to domestic activities: a "continuum" characterised by the use of natural materials and solemn, though reassuring proportions.

The ground floor hosts the indoor swimming pool, the living and the master bedroom; the upper floor the children's rooms, the guests rooms and the servants rooms.

Special attention has been paid to the definition of the interior, designed with painstaking care and where a few interior design solutions (lights,...) add a sophisticated (expressly asked for by the client) Italian touch to the interiors. In the park, a network of wood-paved paths gives life to a "fitness route" in keeping with the Russian standards, with summer and winter saunas, gym and relaxation facilities.

Project:
Studio De Ferrari Architetti
Furniture:
Gruppo Bodino

97

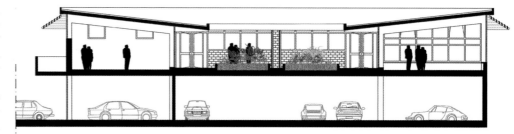

Laboratori di sperimentazioni agrarie degli anni '60 ora destinati a nuovo centro per studenti della Facoltà di Agraria e Veterinaria in Grugliasco.

Un edificio a corte su un solo piano enfatizzato da una copertura a falde convergenti sul cortile centrale, organizzato in aiuole tematiche.

Sul perimetro esterno, dotato di ampie vetrate, un frangisole continuo di tipo "autogrill" mitiga l'irraggiamento della zona studio senza peraltro ostacolare, dall'interno, la percezione del paesaggio circostante.

In planimetria, l'organizzazione degli spazi è affidata ad elementi compositivi di facile lettura.

All'interno, ad esempio, l'area studio, mediante quattro setti murari posizionati sull'asse dei compluvi del tetto, risulta suddivisa secondo lo stesso schema della copertura.

Particolare attenzione è posta alle cromie del complesso: ai grigi degli esistenti rivestimenti esterni in klinker, si accostano i manti di copertura, serramenti e dettagli metallici declinati in una gamma di verdi.

All'interno, pavimenti e rivestimenti a zoccolo in un unico materiale (linoleum grigio) e setti diagonali in blocchi di cemento grigio splittati vivacizzati dalla presenza di puntuali coloratissimi appendiabiti.

Built surface: 1900 sqm

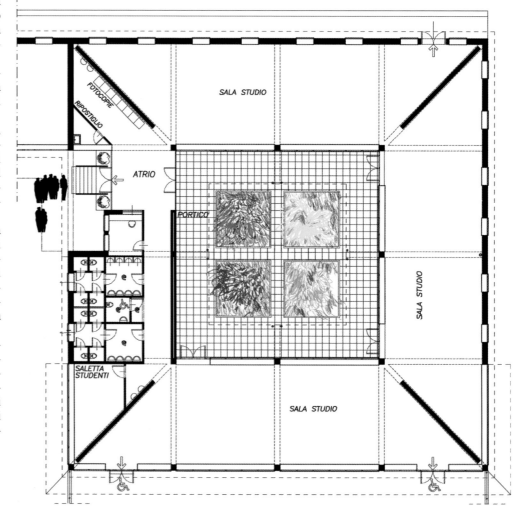

1998
Student Service Centre
Grugliasco, Turin

Agricultural experimentation labs in the Sixties, today intended to host a new centre aimed to students attending the Agriculture and Veterinary Science Faculty of Grugliasco. A court-shaped single-storey building enhanced by a pitch roof heading for the central court, organized into theme flower beds.

On the outer edge, fitted with large windows, a continuous sunshade, highly reminiscent of the gas station concept, attenuates the daylight flooding into the classrooms without necessarily hampering the perception of the surrounding landscape from indoors. In terms of the site plan, the space layout is trusted with simple composition elements.

Inside, for instance, through four partition walls placed along the axis of the roof valleys, the study area turns out sharing the same layout as the roofing. Special attention is paid to the colours of the structure: the grey shade of the current outdoor klinker facing is matched with the roofing covering, the windows and a number of metal details coated in a variety of green shades. Inside, floors and wainscoting coming in the same material (grey linoleum) and grey split reinforced concrete partitions livened up by the presence of inevitably brightly coloured cloth hangers.

Project:
Studio De Ferrari Architetti
Client: Università degli
Studi di Torino

99

La ristrutturazione e restauro del fabbricato rurale per aule e laboratori del Dipartimento di Biologia Vegetale, sito nello storico Orto Botanico è interprete del contesto: antichi paramenti murari castellani ingentiliti da aperture con profilo sagomato.

Confermato nella sagoma, il nuovo edificio si riveste di un tamponamento in mattoni paramano uguali per colore e fattura a quelli della manica lunga del Castello.

La copertura, ricostruita con coppi recuperati, partecipa all'effetto di rafforzamento cromatico: fortemente in aggetto, crea una valida protezione del percorso adiacente il fronte fabbrica.

Le aperture murarie, archi a tutto sesto di notevoli dimensioni quelle principali, piccoli fori quelle accessorie, sono tratte dal repertorio dei segni archetipi che caratterizza il preesistente edificato.

Un percorso lastricato in pietra di Luserna posata ad opus incertum, fiancheggiato da ali di giardino a prato, realizza il collegamento con l'edificio principale.

Letta nel suo insieme, l'opera si presenta come modello di restauro e ristrutturazione per eventuali futuri interventi sui fabbricati rurali che nel tempo, con diversa funzione e dimensione, si sono aggiunti al nucleo storico dell'Orto Botanico.

Lot surface: 250 sqm
Built surface: 90 sqm

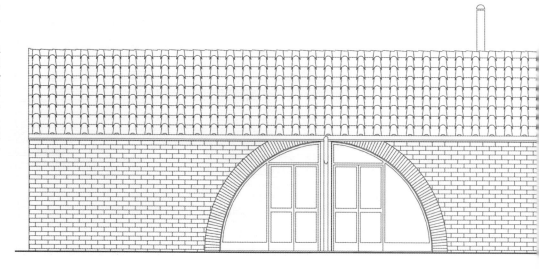

1998
Botanical Gardens
in the Valentino Castle
Turin

The renovation and refurbishment of the rural building hosting the classrooms and laboratories of the Department of Vegetal Biology, situated in the historical Botanical Gardens, celebrates the context: ancient castellar wall hangings enriched by openings with a shaped outline. Equally evidenced by the silhouette, the new building is clad in a wall of facing bricks comparing, by colour and workmanship, to those of the long front of the Castle. Rebuilt with salvage curved tiles, the roofing contributes to enhance the chromatic effect: strongly protruding, it provides an appropriate shelter to the route adjacent to the front of the factory. The wall openings, large full-centre arches and small holes depending upon their respective size, are borrowed from the array of archetypal signs characterising the buildings dating to earlier epochs. A random ashlar Luserna stone-clad route, lined by portions of meadowing, provides the link with the main building. Altogether, the work represents a renovation and restructuring model in view of future interventions on the rural buildings added over the years, with different functions and dimensions, to the historical complex of the Botanical Gardens.

Project:
Studio De Ferrari Architetti
Main Contractor:
Consorzio ATIP
Client:
Università degli Studi
di Torino

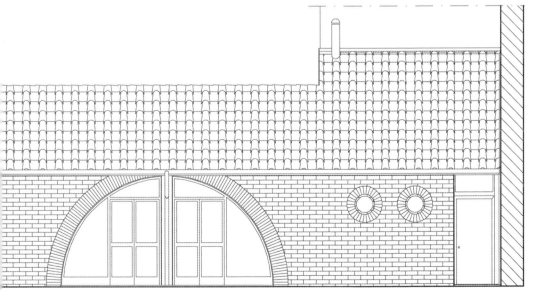

Parcheggio multipiano

Moncalieri, Torino

Concorso appalto per edificio e piazza integrati, in area storica centrale.

Il parcheggio multipiano si propone come ricucitura dello "zoccolo urbano" in mattoni che caratterizza l'intero affaccio del centro storico di Moncalieri a nord-ovest, verso Torino. È un'immagine severa quella proposta dal bastione: un grande trouage su cui si arrampicano, con una teoria di rampe, scale e ascensori, i collegamenti pedonali con le piazze urbane in copertura. Piccole piazzette pensate in continuità e ampliamento di quelle notevoli del centro storico e come queste pensate flessibili nell'uso. Spazi di "pietra e ferro", pavimentati con alternanza di blocchetti di sienite e lastre di Luserna, protetti da ringhiere "alla piemontese" in leggeri tondini di acciaio, illuminati da esili pali con corpi illuminanti dal design neutrale, senza tempo.

Square surface: 2600 sqm
Car parking: n° 462
Floors: n° 9

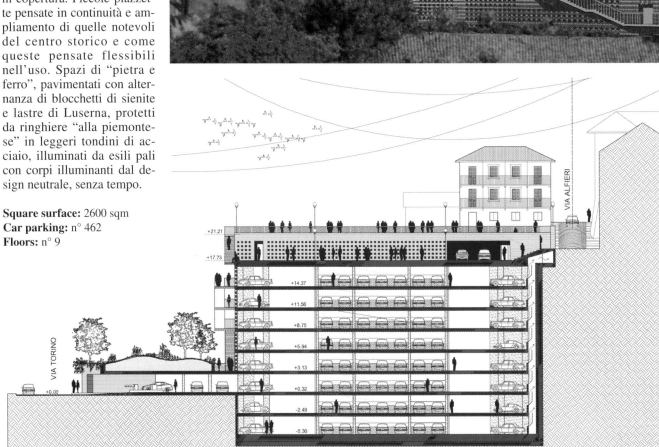

2000
Multi-storey garage
Moncalieri, Turin

Tender competition for building and square in the old town centre.

The multi-storey garage is deemed to provide the link to the urban brickwork scenery that characterizes the whole perspective of the historic centre of Moncalieri to the north-west, in direction of Turin. The rampart gets across a solemn image: a large "trouage" where, in a play of ramps, stairs and lifts, the pedestrian walkways become one with the town squares on top. Little squares conceived to be the continuation and extension of the large squares of the old town centre and, like them, versatile as to their usage. Spaces of "stone and iron", alternately paved with syenite blocks and Luserna stone slabs, protected by the "Piedmont-style" rails made from thin steel, illuminated by slender street-lamps fitted with fixtures reflecting a neutral, ageless, design.

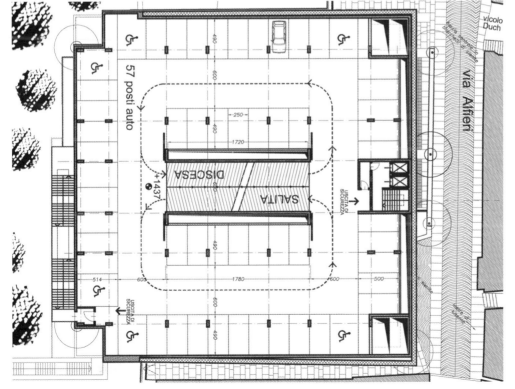

Project:
Studio De Ferrari Architetti
Engineering:
Borini Costruzioni
Client: Città di Moncalieri

103

Vivace mercato nel cuore no-
vecentesco della città, recen-
temente oggetto di una riqualificazione funzionale e ambientale complessiva: un parcheggio interrato e, in superficie, due ampie coperture
sorrette da esili supporti.

Coperture

Simmetriche rispetto all'asse
della via, le due onde affuso-
late si innalzano verso i fronti lunghi della piazza con una
inclinazione delle falde che
ne alleggerisce l'impatto visivo: chi percorre l'asse via-
rio ne coglie il profilo e non
lo sviluppo superficiale.

Realizzate con struttura reticolare in acciaio a sandwich
ventilato e superfici in zinco
titanio, esse offrono inoltre
riparo a due chioschi edilizi,
ospitanti i collegamenti verticali al parcheggio e le riven-
dite di fiori e giornali.

Supergrafica

Sull'intradosso, una costella-
zione di supergrafiche riferite
ai diversi settori merceologi-
ci guidano il consumatore tra
l'intricato dedalo di bancarel-
le. Di notte, illuminate dai
proiettori integrati ai pali, le
grafiche paiono oggetti vo-
lanti: effetto al quale contribuisce la fluorescenza delle
pellicole adesive declinate
nelle primarie tonalità dello
spettro cromatico.

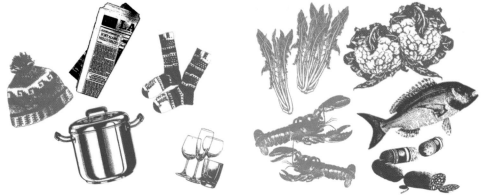

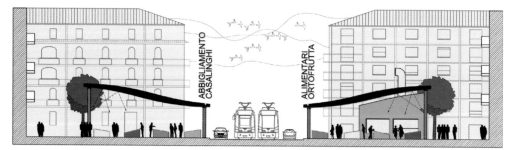

Square surface: 6000 sqm
Covered surface: 2360 sqm
Car parking: n° 259

2000
Indoor market
Piazza Madama Cristina,
Turin

A vibrant market place in the twentieth-century heart of the city, having recently undergone an overall functional and environmental renovation: an underground parking and, at street level, two wide roofings resting on slender structures.

Roofing
Placed symmetrically against the road axis, the two streamlined waves rise up towards the long sides of the square by an inclination of the pitches softening the visual impact: in this way, people walking along the road perceive the silhouette rather than the global volume. Made from a ventilated sandwiched grid-like steel structure and a zinc/titanium-clad outer shell, they also provide shelter to two small buildings accommodating the stair block leading to the parking site, the flower shop and newspaper kiosk.

Supergraphics
On the intrados, a graphic signage system referring to the different product categories directs consumers throughout the close-knit labyrinth of market stalls. At night, illuminated by the spotlights fastened to the posts, the graphics resembles flying saucers: an effect created by the fluorescent adhesive films selected in the primary colours of the chromatic range.

Project Consultant:
Studio De Ferrari Architetti
Structural Project
Consultant: V. Nascè
Main Contractor:
CMC Cooperativa Muratori Cementisti
Client: Città di Torino

**Aeroporto
Sandro Pertini**
Caselle, Torino

Concorso ad inviti per l'ampliamento e l'allestimento interno dell'aerostazione Sandro Pertini.

Il cielo, le nubi e l'aria partecipano realmente e/o graficamente alla costruzione del nuovo paesaggio interno.
Nell'area partenze una galleria di oltre 100 metri e con volte in vetro di grande luce proietta il viaggiatore in attesa nella dimensione aerea del volo.
Qui, il controllo della luce è affidato in parte ai vetri basso emissivi, in parte alle supergrafiche serigrafate sui vetri con opacità differenziata.
Nell'aerostazione, gli attuali tre livelli ricercano la connessione fisica e visiva attraverso collegamenti verticali panoramici e l'apertura di una grande mall centrale, dove la luce solare raggiunge anche il piano seminterrato.
In alto, l'esistente struttura reticolare di copertura si colora di azzurro confondendosi con la riproduzione grafica di un vero cielo.
Ancora l'azzurro è il colore dominante degli arredi dei check in, delle partiture vetrate interne e delle pavimentazioni al piano partenze, mentre al livello -1 (piano arrivi), i toni celesti virano all'acquamarina, colore della prima profondità, ottenuto anche con un'illuminazione artificiale bianchissima a ioduri metallici.

Total surface: 4000 sqm

2001
Sandro Pertini Airport
Caselle, Turin

Invitation-based competition for the extension and interior décor of Sandro Pertini airport.

Sky, clouds and air play an active and/or graphic role in the construction of the new interior décor.

In the departure lounge, a tunnel over 100 metres long fitted with large glass vaults projects travellers waiting for boarding in the aerial dimension of the flight.

Here the control of light is partly trusted with low-emission glass sheets, partly with the signage stencilled on the variously opaque window-panes.

Inside the airport, the current three levels seek to achieve a physical and visual link by means of panoramic stairs and the creation of a large central mall, where sunlight reaches for the basement as well. On top, the current grid-shaped roofing structure is painted blue, thus becoming one with the graphic reproduction of a real sky.

Blue is also the dominant colour used in the check-in area, applied to the large interior glass walls and to the floor of the departure area, while on the underground level (arrivals), the blue shades turn to aquamarine, the colour of the first depth, obtained by means of a snow-white metal iodide-based artificial lighting.

Project:
Studio De Ferrari Architetti
Client: Sagat

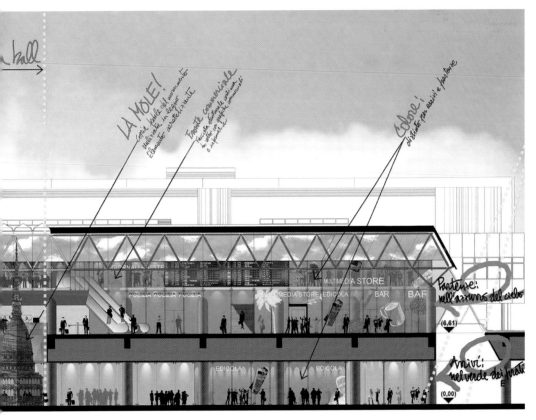

L'ottocentesco fabbricato è stato oggetto nel tempo di successive riplasmazioni: 1886, sopraelevazione di un piano (anonimo); 1929, ampliamento (E. Decker); 1980, collegamento seminterrato al corpo principale dell'Ospedale (V. Valletti).

L'attuale trasformazione da sede per uffici e servizi tecnici dell'Ospedale in ampliamento dei reparti di degenza ha comportato, sotto il profilo edilizio:

- la sopraelevazione di un piano e il rifacimento dei solai ora allo stesso livello di quelli del corpo principale dell'Ospedale. Il mantenimento della finestratura originale su strada è stato possibile arretrando e rendendo indipendenti i solai dalla facciata: in tal modo, i corridoi realizzano terrazzi interni in cui il controsoffitto inclinato maschera gli impianti e amplifica l'illuminazione naturale;

- in facciata, il minimo stacco tra preesistenza e sopraelevazione, sottolineato solo da contenuti risalti della muratura;

- verso cortile, l'iterazione del sistema a ballatoio, riutilizzato con funzione di via di fuga.

Nell'allestimento degli interni, inoltre, particolare attenzione è stata posta alla declinazione cromatica, piano per piano, dei pavimenti e dei rivestimenti in sintetico.

Built surface: 1250 sqm
Floors: n° 4 + 1 underground

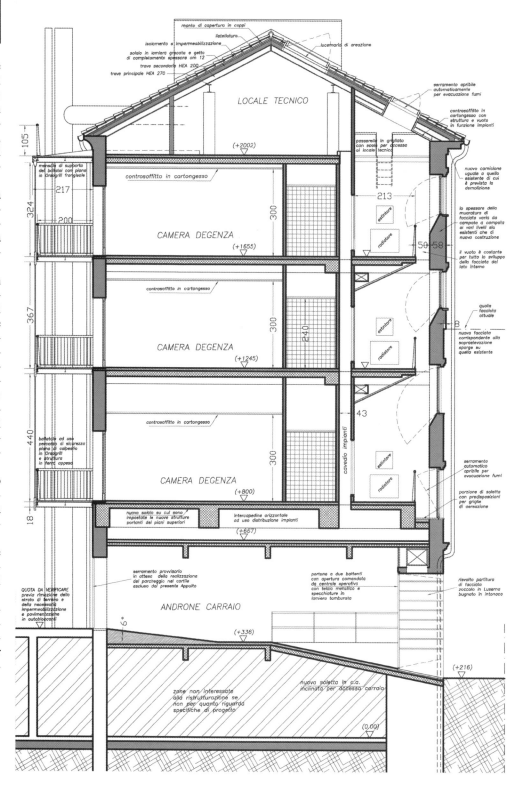

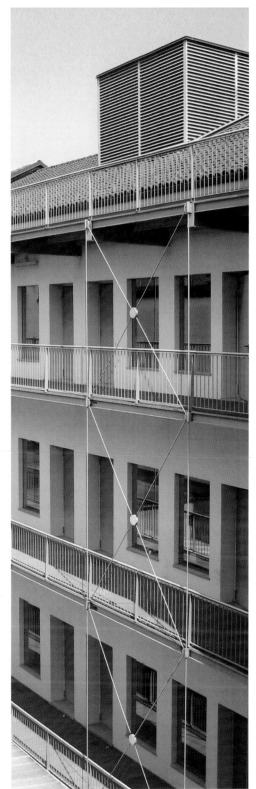

2001
Waldensian Evangelical Hospital
Former Artigianelli, Turin

The nineteenth-century building has gone through several transformations over the years: 1886, construction of an added storey (anonymous); 1929, extension (E. Decker); 1980, connection of the basement to the main building of the Hospital (V. Valletti).

From the building point of view, the current transformation from office building and technical facilities of the Hospital into extension of the hospital wards has implied:

- the addition of a storey and the remaking of the floor slabs now at the same level as those of the main building of the Hospital. The original, street-level windows have been left unvaried by setting back and separating the floor slabs from the façade: in this way, the corridors achieve internal terraces where the double ceiling screens the technical plants and optimises natural daylight;

- on the façade, bridging the gap between original building and added storey as much as possible, stressed by minimum emphasis of the masonry;

- towards the courtyard, the replication of the landing system, reused as escape.

In addition, the design of the interiors reflects the special care taken of the colour range applied to the floors.

Project:
Studio De Ferrari Architetti
Plants project: Prodim
Work manager:
R. Renacco
Main Contractor:
Borini Costruzioni
Client:
Ospedale EvangelicoValdese

Esempio di edilizia residenziale torinese ottocentesca, l'edificio presenta corpi di fabbrica a manica semplice con ballatoi intorno a un cortile. Un impianto che la trasformazione in Centro diagnostico e laboratorio analisi intende confermare e valorizzare. All'esterno, verso via, l'edificio conferma i caratteri originari che lo rendono omogeneo all'intero isolato: alte aperture con taglio verticale, balconi alternati e protetti da leggere ringhiere in ferro, il colore delle calci locali. All'interno, la trasformazione si configura sull'impianto originario, solo modificato nella copertura con solaio del piano terreno del cortile e nella grande copertura trasparente a livello del tetto. La particolare luminosità di quest'ultima deriva dalla sofisticata tecnologia adottata (lastre in vetro temperato e stratificato, collegate da silicone strutturale e sorrette da cavi tesi ed esili puntoni) e dalla serigrafia (una sfumata texture con al centro una grande croce ugonotta) che ne mitiga l'irraggiamento. Attorno al grande spazio, una vera e propria agorà, ruotano tutte le funzioni ospedaliere. Guardare dal basso in alto e viceversa il traffico di pubblico e personale contribuisce ad animare l'ambiente e l'immagine complessiva ricorda piuttosto una hall alberghiera ("albergo della salute" lo hanno già rinominato nel quartiere). Materiali e arredi sono scelti e progettati in funzione dell'accoglienza, per una immagine rilassante

ma allo stesso tempo non banale:

- il legno è pavimento nella hall, rivestimento di pareti e arredi delle piccole ma efficienti sale ambulatorio;

- verniciature morbide sulle parti metalliche, le complesse reti di impianti, i sistemi strutturali, i dettagli di mensole, tiranti e giunti.

Dai ballatoi affacciano tutti i locali per le visite ambulatoriali, definiti nel rispetto del modulo architettonico preesistente.

Indirizzare i pazienti dai box della Reception collocata nella hall, risulta semplice e intuitivo: l'accesso alle sale situate allo stesso piano avviene attraverso piccoli ponticelli che superano il vallo perimetrale che porta luce alle sale del livello strada mentre all'accesso alle sale situate agli altri piani provvedono scale ed ascensori in diretto rapporto visivo con il cortile.

I corpi ascensori sono avvolti da immagini ingigantite di due opere di Rembrandt: Abramo e Tommaso, riferimento della evangelizzazione valdese.

Nel 2004 il progetto è stato premiato con la targa "Architetture rivelate" a cura dell'Ordine degli Architetti di Torino.

Built surface: 3300 sqm
Covered court: 220 sqm
Floors: n° 4 + 1 underground

2001
Waldensian Evangelical Hospital
Diagnostic centre, Turin

Exemplifying Turin nineteenth-century housing, the building is constituted by single building blocks with landings opening round a courtyard. A layout that the transformation into Diagnostic centre and test lab intends to comply with and enhance. Outside, towards the road, the building confirms the original traits achieving unity with the surrounding neighbourhood: high openings with vertical cuts, balconies alternating with and protected by iron railings, the colour of local lime. Inside, the transformation has concerned the original layout only modified through the roofing with floor slab of the courtyard ground floor and the large transparent top at roof level. The remarkable brightness of the latter is secured by the sophisticated technology implemented (hardened, layered glass sheets mutually connected by structural silicon and sustained by stretched cables and slender rafters) and by the serigraphy (a shaded texture with a large Huguenot cross in the centre) attenuating the daylight. All round the large space, an outright "agorà", gravitate all the hospital functions. Looking bottom up and the other way round, the bustling about of visitors and staff contributes to liven up the environment and the overall image is very much reminiscent of a hotel lobby ("health hotel", as it has already been re-named by the people living in the

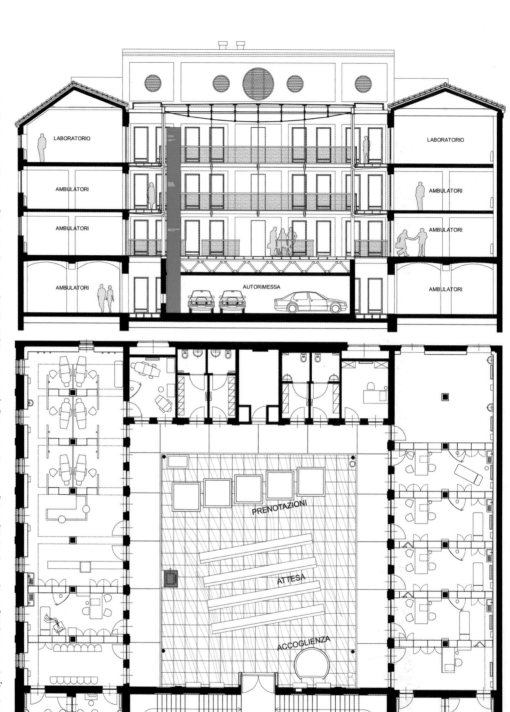

surroundings). Materials and furnishing have been designed and chosen to meet appropriate reception standards and to deliver a reassuring as well as anything but dull image:

- wood flooring for the hall, the facing of the walls and the décor of the small but efficient doctors' practices;

- soft coatings on the metal components, the complex networks of plants, structural systems, shelf details, ties and joints.

All the practices aimed to the patients and looking out on the landings are designed in compliance with the earlier architectural criteria.

Directing patients from the Reception booths located in the hall is simple and intuitive: access to the rooms situated on the same floor is gained through small gangways running across the side wall which sheds light to the rooms at street level, while access to the rooms/halls situated on the other floors is gained through lights and stairs visually connected to the courtyard. The lift blocks are clad in blown-up images of two works by Rembrandt: Abraham and Thomas, clearly referring to the Waldensian Evangelization

In 2004 the project has been awarded the "Architetture rivelate" prize bestowed by the Architects Fraternity of Turin.

Project:
Studio De Ferrari Architetti
Plants project:
Prodim
Main Contractor:
Borini Costruzioni
Client:
Ospedale EvangelicoValdese

Il nuovo ponte Domenico Carpanini sostituisce l'ottocentesco ponte Principessa Clotilde distrutto dall'alluvione del 2000. Nell'impossibilità di aumentare le quote della viabilità sulle sponde, si ovvia alle problematiche alluvionali e ci si adegua alla normativa (intradosso 1 m oltre il livello di massima piena), rendendo il ponte sollevabile di m 1,20. Oltre ad assolvere le funzioni di attraversamento (2 corsie auto, pista ciclabile a 2 sensi, transito pedonale) il ponte intende valorizzare la straordinaria posizione e la suggestione della vista del fluire delle acque, sovente vorticose. Così il percorso pedonale è fiancheggiato da una panoramica gradonata che invita alla sosta; i tratti terminali sono trasparenti passerelle; le ringhiere sono leggere e trasparenti; l'impiantito, in legno duro o grigliato metallico, lascia intravedere il sottostante scorrere del fiume.

Il sistema di sollevamento è costituito da 4 martinetti idraulici a doppio effetto (potenza 150 t cad.) posizionati nei vani interrati sulle spalle dove sono anche rulli di appoggio, i sistemi di ritegno, i canali idraulici. Per rispondere alle possibili sollecitazioni torsionali (il sollevamento con soli 3 martinetti funzionanti), la struttura portante, in carpenteria di acciaio saldata, assume una configurazione "tubolare" dalla inconsueta sezione romboidale.

Length: 41.60 m
Lifting: 1.20 m

116

The new bridge Domenico Carpanini replaces the nineteenth-century bridge Princess Clotilde destroyed by the flood of 2000. Faced with the impossibility to increase the height of the road system along the river banks, the flood problem had to be tackled by complying with the regulations in force (intrados 1 mt. over the flood level), thus permitting to lift the bridge by 1,20 mt. Besides fulfilling the transit function (double car lane, two-way cycle track, pedestrian route) the bridge is meant to enhance the extraordinary position and the picturesque view of the waterway flow, often in full spate. In this way the pedestrian route is flanked by a stepped view which invites to frequent halts; the ends having been designed in form of transparent walkways, the banister is a lightweight, transparent structure; the decking, made of solid wood or metal grid, allows to catch sight of the river flowing underneath.

The lifting system is constituted by 4 hydraulic jacks fulfilling a dual function (each handling 150 tons) positioned in the sunken housing placed at the back which also accommodates the roller rests, the retaining systems, the hydraulic pipes.

Project:
Studio De Ferrari Architetti
Structural Project:
F. Ossola
Main Contractor:
SACAIM/SISEA
Client:
Città di Torino

117

Polo Ecologico per la raccolta differenziata e il trattamento dei rifiuti solidi provenienti dall'area del Canavese dove viene prodotto un combustibile a base legnosa (cippato) che alimenta la locale centrale di teleriscaldamento. L'opera, articolata nella ristrutturazione di una palazzina uffici del preesistente complesso siderurgico Cogne e nuovi impianti industriali di vaste dimensioni, privilegia il rapporto con il paesaggio rurale circostante:

- i grandi edifici industriali, pur collegati in linea per consentire la catena di compostaggio, si alleggeriscono nella frantumazione dei volumi e nella continua variazione cromatica dei blocchi splittati in cls, scelta in relazione all'ambiente;

- quale segnale e memoria dello sviluppo industriale dell'area sono state mantenute e reintegrate le due ciminiere in mattoni del precedente stabilimento;

- adottando principi di ingegneria naturalistica, una vegetazione di alto fusto scherma il complesso, mentre il piccolo lago circondato da massi alluvionali rinvenuti in sito costituisce il serbatoio antincendio ad accumulo naturale.

Lot surface: 50000 sqm
Covered surface: 13000 sqm
Blocks walls: 15000 sqm

2002
A.S.A. Environmental Services Society
Castellamonte, Turin

Ecology Centre for differentiated refuse collection and the recycling of solid wastes from the Canadese area where a fuel made out of wood chipping is produced feeding the local tele-heating system. Consisting in the renovation of a small office building part of the pre-existent steelworks Cogne and of new large industrial works, the project prioritises the relation to the surrounding rural landscape:
- the large industrial buildings, though mutually connected to secure the compost-making process, stand out as lightweight volumes and for the ever-changing colour shades of the CLS-split blocks, a choice driven by the surrounding environment;
- as telltale sign and memory of the industrial development witnessed on the site, the two brickwork chimney stacks of the earlier works have been preserved though they have been discontinued;
- by adopting naturalist engineering concepts, high-trunk vegetation screens the complex, while the small lake surrounded by flood rocks brought to light on the site provides the naturally replenished fire-proof tank.

Project:
Studio De Ferrari Architetti con L. Rolle, D. Turrini, M. Esposito, F. Bertoldo, R. Spallone, ARES
Main Contractor:
Impresa Locatelli
Client:
Consorzio ASA

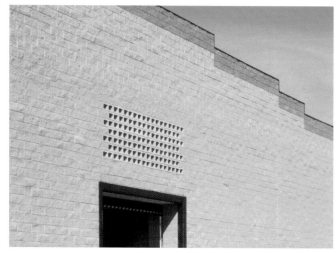

Il centro polifunzionale (parking, commercio, uffici, servizi, planetario,…) sorge a ridosso del vecchio centro storico sovrastato dal Castello Svevo e come terminale del Viale Mancini, recente asse urbano derivato dall'arretramento della stazione ferroviaria.

Una posizione strategica che ha richiesto di mediare tra i valori morfologici del recente sistema assiale del Viale e quelli del sistema reticolare della città.

I volumi edilizi aprono alla città formando una sorta di "piazza rovesciata" dove il costruito è centrale e gli spazi pedonali sono su esso avvolti.

Al volume destinato ad uffici, di notevoli dimensioni e integrato per materia e colore al paesaggio circostante, sono agganciati i volumi degli spazi commerciali, bassi, organici e molto trasparenti, pertanto non in competizione con l'edilizia locale.

L'alberatura del Viale Mancini, raggiunta la piazza, assume divertite forme di "natura tecnologica" efficaci nel fornire ombra e protezione ai passanti e alla sequenza delle vetrine commerciali in ogni stagione.

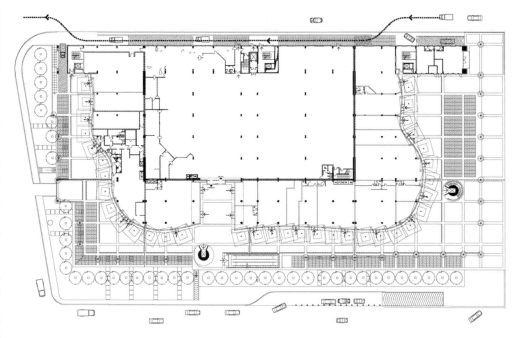

Lot surface: 45200 sqm
Retail space: 8100 sqm
Office space: 2700 sqm
Public space: 8950 sqm
Technical spaces: 580 sqm
Car parking: n° 887

2002
Multi-functional centre
"I due fiumi"
Cosenza

The multi-functional centre (parking site, shopping mall, offices, services, planetary,...) is set close to the old city centre topped by the Suevian Castle and stands for the symbolic end of Viale Mancini, a newly built urban street resulted from setting back the railway station.

A strategic location which has required to mediate between the morphologic values of the recent road system of the thoroughfare and those of the city network system.

The building volumes open up to the town while creating a sort of 'upside down square' where the built-up area is the core and the pedestrian routes unfold all around it.

The large volume aimed to the office buildings, and tuned in terms of materials and colours with the surrounding scenery, is tied up to the low, organic and transparent volumes of the shops, therefore not clashing with the local buildings.

Upon reaching the square, the tree-lined Viale Mancini reflects interesting shapes of "technological nature" effectively providing shade and shelter to passers-by and to the row of shops all year round.

Project:
Studio De Ferrari Architetti
Engineering:
G. Garzino
Main Contractor:
Borini Costruzioni
Client:
Borini Costruzioni

La proposta di ampliamento con nuovi reparti di degenza reinterpreta lo spartito architettonico del preesistente complesso ospedaliero, declinandone ed al contempo accentuandone gli elementi principali:
- l'uso del mattone faccia a vista per il prospetto su via e laterale, in accordo con l'immagine dei palazzi circostanti e del fabbricato stesso dell'Ospedale, così nato nel 1964 e rimaneggiato fino agli anni '90;
- modulari e allineate al vecchio edificio, le nuove finestre propongono invece una particolare configurazione, proiettandosi dal filo facciata così da animare con giochi profondi di ombre quella che altrimenti sarebbe apparsa come una ordinaria facciata;
- le coperture a falda, tipologia ricorrente nel quartiere, riappaiono con funzione di frangisole e di mascheramento degli impianti meccanici in copertura.
Solo nella facciata interna verso cortile lo spartito cambia in una unica partitura vetrata su cui si affacciano gli atrii di piano e i locali comuni di soggiorno per i degenti. In sintesi, un edificio con una doppia immagine: una forte presenza urbana verso strada; trasparente e dematerializzato verso cortile.

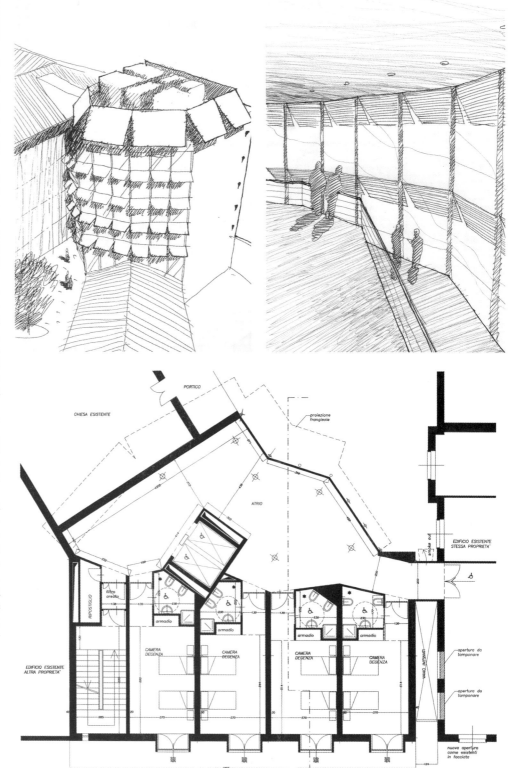

Built surface: 2920 sqm
Floors: n° 9 + 2 underground

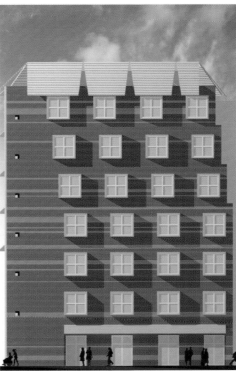

2002
Gradenigo Hospital Extension
Turin

The extension project envisaging the construction of new hospital wards celebrates the architectural score of the current hospital complex while differentiating and, at the same time, emphasizing its high spots:
- the use of facing bricks for the street-facing and side front in tune with the image of the surrounding buildings and of the hospital structure itself, as established in 1964 and modified over the years until the Nineties;
- modular and lined to the new building, the new windows reflect, instead, a particular configuration, while looking out from the façade, thus livening up with intense shadow effects what would have otherwise appeared as a dull façade;
- the pitch roofs, a dominant theme in the neighbourhood, are called upon to fulfil a new function: namely work as sunshade while screening the mechanical systems on top.
Only on the courtyard-facing front, does the architecture transform into a single glass wall onto which look the single floor halls and the rest areas shared by the patients. In a nutshell, a building with a double image: an impactful street-facing urban presence; transparent and dematerialised towards the courtyard.

Project:
Studio De Ferrari Architetti
Client:
Presidio Sanitario Gradenigo

133

L'esterno

Nell'area industriale di Moncalieri, questo noto e storico marchio del settore trasporti sceglie come propria sede una ex manifattura tessile degli anni '60, dotata di palazzina uffici su strada e retrostante stabilimento con copertura a shed.

L'intervento di ristrutturazione dota di un'immagine di grande riconoscibilità il fronte su strada, ora prolungato da un portale/passerella in acciaio e lamiera stirata, su cui svetta, rotante, il marchio aziendale.

Il logo aziendale investe invece integralmente, in forma di super grafica serigrafata, la vetratura continua della palazzina, che rigorosamente rimodellata negli allineamenti e dotata di un rivestimento in pannelli di fibro-cemento realizza un corpo unico con il retrostante volume.

Nel cortile, una scarpata verde degradante verso l'edificio consente il recupero funzionale di quelli che un tempo erano i locali seminterrati.

L'interno

L'ampia area dell'ex stabilimento, coperta con shed, è organizzata in un open space centrale per le postazioni operative, affiancato da due ali di uffici dirigenziali.

Un impianto funzionale reso riconoscibile anche dalla scelta dei materiali e delle cromie: involucro bianco per la massima diffusione della luce; pavimento e mobili contenitori dell'open space resi omogenei e continui da un rivestimento in laminato

plastico con sottile strato di vero legno; per contrasto, il colore blu del blocco lineare degli uffici dirigenziali, staccato dalla copertura e il rosso delle torri ascensori e dei volumi tecnici.

Le attrezzature impiantistiche (canali di climatizzazione, reti elettriche e dati) corrono in vista connotando con una nota "tecno design" il paesaggio interno.

All'ingresso, una ampia *lounge* introduce il visitatore nel sistema Ambrosetti, ricco di storia e successi, attraverso frammenti della propria memoria riprodotti in immagini a grande formato esclusivamente in bianco nero che ne raccontano lo sviluppo delle sedi, i servizi offerti, i clienti storici più recenti.

Da qui dipartono i collegamenti verticali, volumi isolati e laccati in rosso come quelli tecnici, che connettono l'open space ai due ulteriori livelli del corpo di fabbrica su strada, ospitanti le sale riunioni, i servizi amministrativi e logistici, gli uffici dei vertici aziendali.

Lot surface: 5760 sqm
Office spaces: 2470 sqm
Services and technical spaces: 2200 sqm
Garden: 2400 sqm
Car parking: n° 85

2003
Ambrosetti Autologistics
Moncalieri, Turin

The outside

In the industrial area of Moncalieri, this renowned, well-established brand of the transport industry has chosen a former textile works dating back from the Fifties as new headquarters fitted with a street-facing office building and shed-roof works at the back.

The renovation project bestows a highly recognizable image on the street-facing side, now lengthened by a steel and drawn metal sheet gangway against which the corporate trademark silhouettes.

The corporate logo, instead, runs in form of stencilled signage throughout the glass curtain wall of the building which, strictly redesigned as to its orientation and coated with a fibre-cement panel, achieves a single building with the volume at the back.

In the courtyard, a green slope towards the building allows the functional recovery of what used to be the premises in the basement.

The interior

Characterised by the presence of a shed roof, the broad area of the ex works is designed in form of a central open space aimed to the work stations, lined by two wings of executive offices.

A functional layout the recognizability of which is also driven by the choice of the materials and the colours: white wrapping for optimal light diffusion; floor and cabinets of the open space achie-

ving homogeneity and continuity thanks to a plastic laminate facing with a thin wood layer; by contrast, the blue shade of the executive office block, differentiated by the roofing and the red shade applied to the lift towers and the technical plants.

The technical plants (air conditioning, electric and data system) are left to sight while adding a 'techno design' touch to the interior.

At the entrance, a wide lounge introduces visitors inside the Ambrosetti system boasting a rich heritage and numberless achievements, through fragments of its memory reproduced with black and white blown-up photographs which trace back the development of the offices, the services offered, the more recent and long-standing clients.

From here branch off the vertical connections, stand-alone volumes painted red like the technical systems which link the open space to the two upper floors of the street-facing building, hosting meeting rooms, the administrative and logistic divisions, the top management offices.

Project:
Studio De Ferrari Architetti con Claudia Gatti
Plants Project: Prodim
Main Contractor:
Impresa Rosso
Facade: Knauff
Interior furniture:
Fantoni/Interprogetti
Client:
Ambrosetti Autologistics

La Valle Varaita, con oltre 100 aziende attive nel settore è considerata, a livello regionale, Distretto Artigianale del Legno.

In quest'ottica, il nuovo Centro Servizi costituisce il luogo di riferimento per tutte le attività della filiera legno: dall'abbattimento alle segherie, dalla lavorazione di mobili, cofani funebri, e giocattoli alle attività di promozione, ricerca e progetto.

Immerso nel verde, nato dal recupero di alcuni fabbricati industriali, il complesso si organizza intorno ad una corte centrale, dove i diversi fabbricati, trattati con l'immagine dell'edificio rustico sono connessi da una pensilina in legno e acciaio a doppio ordine, distanziata dalle facciate.

All'interno, il colore verde declinato in più toni e gli arredi in legno naturale, prodotti dal Centro, danno continuità all'immagine del complesso.

Due le soluzioni sostenibili in funzione del risparmio energetico: l'adozione di una caldaia con funzionamento combinato gas/legno (quest'ultimo ottenuto dagli scarti delle lavorazioni interne) e un inconsueto contro soffitto a "V" che riduce al minimo l'altezza interna dei fabbricati.

Lot surface: 4400 sqm
Built surface: 3500 sqm

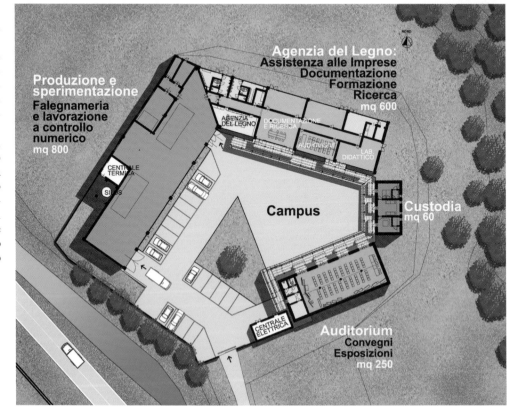

2003
*Service centre for wood
light processing*
Valle Varaita, Cuneo

*Numbering over 100 busines-
ses working in this industry,
the Varaita Valley ranks as
"Handicraft District of
Wood" throughout the region.
In this perspective, the new
Service Centre stands for the
benchmark site of all the activities related to wood processing: from pulling down to
sawmills, from the production
of furniture, coffins and toys
to promotion, research and
development activities.
Set amidst greenery, derived
from the conversion of a few
industrial sheds, the complex
gravitates round a central
courtyard where, conceived to
get across a rural vocation,
the various buildings are mutually connected by a wood
and steel shelter set back from
the façades .
Inside, the use of a variety of
green shades and natural
wood furniture, manufactured
on the same premises, adds
continuity to the complex image.
With a view to saving energy,
two solutions have been figu-
red out: the installation of a
gas/wood-operated boiler
(wood consisting of processing wastes), and an unusual
"V-shaped" false ceiling re-
ducing the internal height of
the buildings to minimum
standards.*

Project:
Studio De Ferrari Architetti
Engineering:
D. Turrini, L. Rolle
Main Contractor:
Impresa COGEIN
Client: Comunità Montana
Valle Varaita

Un edificio "manifesto" volto a promuovere presso il grande pubblico alcuni dei principali valori del costruito torinese: la chiusura dell'isolato ottocentesco con il rispetto degli allineamenti, tema caro alla rigorosa urbanistica dell'epoca e, per contrasto, l'eccezionalità di un segno di memoria barocca, qui individuato nell'alto muro curvato di mattoni rossi.

Il muro è la spina dorsale dell'impianto da cui dipartono, verso il corso alberato una lunga galleria vetrata con l'intento di mediare tra artefatto e natura e, verso la città, l'austero blocco che contiene la pista, le tribune e gli spazi accessori.

I fronti corti che ospitano gli ingressi del pubblico e degli sportivi sono rigorosi nella partitura del rivestimento in

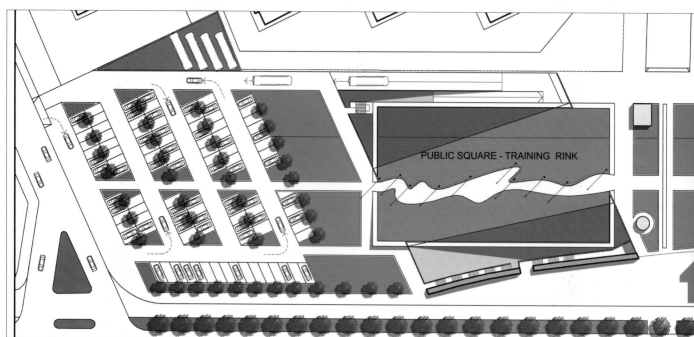

PUBLIC SQUARE - TRAINING RINK

fibrocemento ma si animano con cassoni luminosi dotati di supergrafiche "solarizzate" dedicate ai diversi sport su ghiaccio.

All'interno, non un palazzo del ghiaccio, ma piuttosto un "teatro del ghiaccio" dove due grandi boccascena bianchi fanno da quinta allo specchio delle porte da hockey.

Supportate dai grandi portali contrapposti in ca, due ampie sale destinate rispettivamente a ristorante e palestra godono di un affaccio vetrato significativo, per ampiezza e scenografia, sulla pista sottostante.

La copertura, un grande cassettonato in legno lamellare, lascia intravedere, dietro un filtro visivo in grigliato metallico, la complessità degli impianti tecnologici.

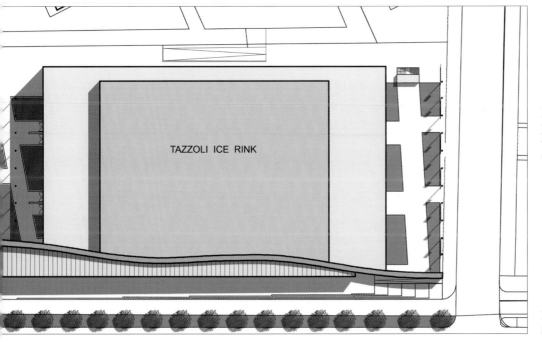

TAZZOLI ICE RINK

torino 2006

Lo Stadio fa parte degli impianti sportivi realizzati in occasione dei Giochi Olimpici Invernali 2006.

Built surface: 5700 sqm
Seats: n° 3500

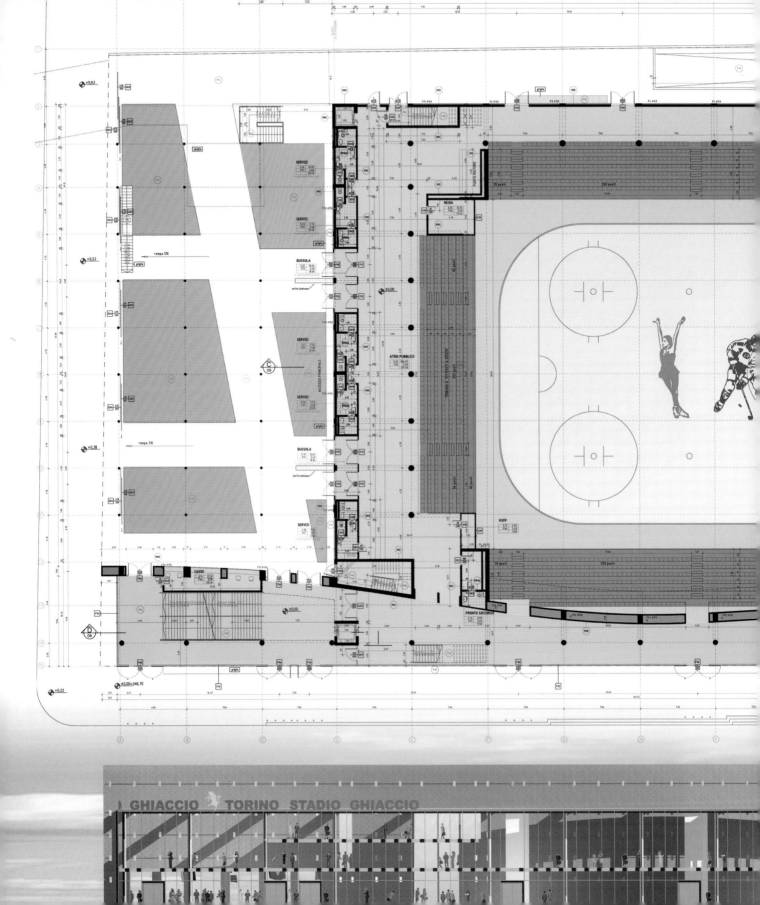

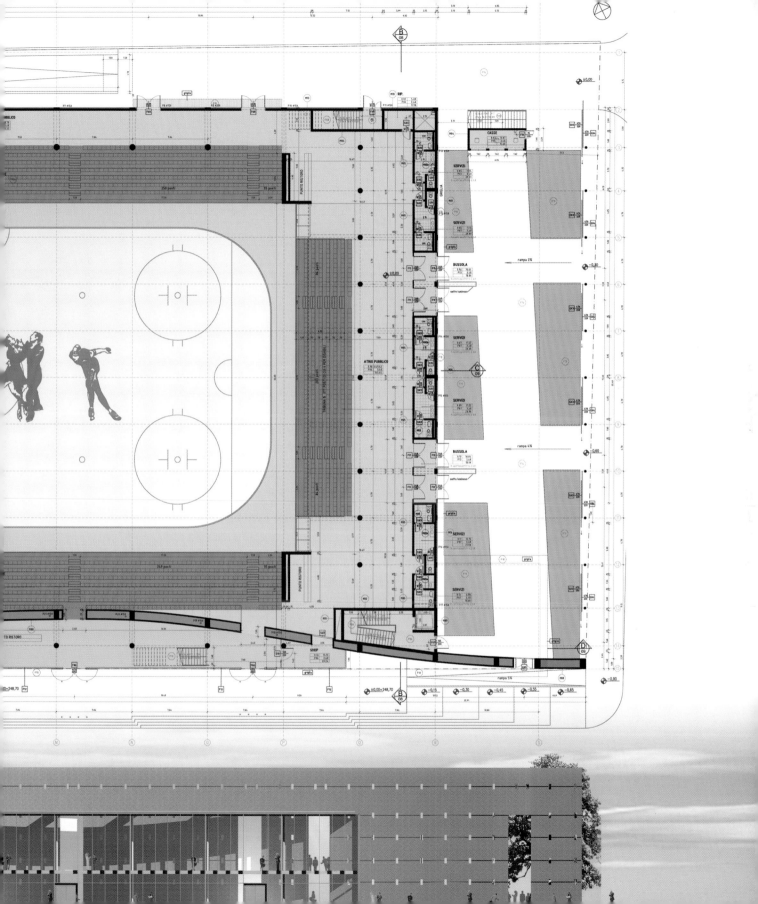

2003
Ice Rink
Turin

A 'manifesto' building aimed at promoting some of the main values of Turin buildings amidst the large public: the shutting out of the nineteenth-century neighbourhood in keeping with alignment principles mostly cherished by the strict town planning of the time and, by contrast, the extraordinary nature of a Baroque sign, in the case in point identified with the high curved red brickwork wall. The wall is the backbone of the structure from which branch off, towards the tree-lined boulevard, a long glassed gallery with the aim to marry nature and artifice and, towards

the city, the severe block accommodating the rink, the stands and the ancillary space.

The short fronts aimed to the entrances for audience and athletes achieve a rigorous image due to the fibre-cement facing but livened up with bright signage fitted with "sunlit" supergraphics dedicated to the various ice sport disciplines.

Inside, instead of an ice rink, an "ice theatre" where two large white stage curtains act as wing to the mirror of the hockey goalposts.

Sustained by the large reinforced concrete portals fronting each other, two large rooms hosting a restaurant and a gym hall, enjoy a noteworthy view over the rink beneath thanks to the oversized glass wall.

Behind a visual screen consisting of a metal grid, the roof, a large wood coffer ceiling, allows to catch sight of the complexity of the technological plants.

The Ice Rink is part of the sport facilities built on occasion of the past Winter Olympic Games 2006.

Project:
Studio De Ferrari Architetti
con C. Lucchin, C. Roluti,
R. D'Ambrogio, Studio Lee
Structural Project:
G. Concer
Plants Project:
M. Bolzan, G.C. Gramoni,
E. Zadra, E. Lee
Main Contractor:
Consorzio Cooperative
Costruzioni (Iter, Cellini)
Client:
Agenzia Torino 2006

In continuità e collegamento con lo Stadio del Ghiaccio di Torino, con cui condivide la gestione, gli impianti e le attrezzature tecnologiche, l'edificio adotta una soluzione architettonica particolare: concepito come volume ipogeo, denuncia la sua presenza emergendo e piegando ad ala lo spigolo del soprastante giardino.

Tale spigolo emerge da un cortile a quota del piano del ghiaccio (- m 7,5) con una parete in vetrocemento che fornisce una irreale luce diffusa a tutto lo spazio interno. La relazione con lo stadio maggiore è sottolineata dal muro di contenimento del cortile che, ancora in mattoni e con andamento curvilineo, ne risulta il proseguimento.

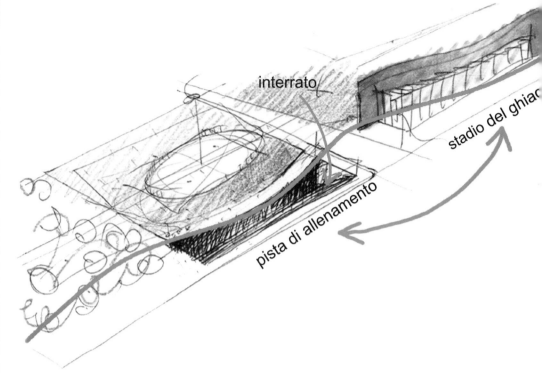

La struttura portante è in carpenteria metallica verniciata bianca, la copertura in prefabbricati di cls "predal".

Lo Stadio fa parte degli impianti sportivi realizzati in occasione dei Giochi Olimpici Invernali 2006.

Built surface: 5700 sqm
Seats: n° 350

2003
Ice Rink
Training rink
Turin

In tune with and connected to the Ice Rink of Turin, of which it shares running criteria, facilities and technological equipments, the building adopts a particular architectural solution: conceived as underground volume, it hints at its presence by rising and shaping the edge of the garden above in form of a wing.

Such edge surfaces from a garden at the same height as the ice level (- m 7,5) with a wall made from concrete-framed glass shedding a sort of unreal light to the whole interior. The relation with the main rink is underlined by the retaining wall of the courtyard which, also made of bricks and based on a curvilinear pattern, turns out as the continuation.

The bearing structure consists of a white metal framework, the roofing of prefab "predal" cls.

The Ice Rink is part of the sport facilities built on occasion of the past Winter Olympic Games 2006.

Project Consultant:
Studio De Ferrari Architetti
Structural Project Consultant: V. Neirotti
Main Contractor:
Consorzio Cooperative Costruzioni (Iter, Cellini)
Client:
Città di Torino

Palazzetto Olimpico del Ghiaccio
Torre Pellice, Torino

Concepito come "arena dell'hockey" per l'evento olimpico è già oggi utilizzato per il campionato nazionale.

Il principale riferimento architettonico per l'edificio è l'ambiente, inteso come somma dei valori paesistici, storici e culturali del luogo. Il profilo delle montagne circostanti, il colore delle rocce, il verde delle specie vegetali, definiscono un volume articolato in tre grandi blocchi all'apparenza lapidei ma realizzati in cls con superficie texturizzata. Blocchi incastrati uno nell'altro, come in una formazione rocciosa che, interrata di tre metri, si adatta al terreno riducendo l'impatto visivo sullo skyline circostante.

All'esterno, due grandi piazze: sul fronte, la piazza urbana, destinata all'accoglienza; sul retro, la piazza verde, destinata agli allenamenti sportivi e in caso di necessità, parcheggio di servizio; inoltre, i fronti laterali dell'edificio diventano palestra artificiale di arrampicata, di cui quella a nord, parete ghiacciata.

Lo Stadio fa parte degli impianti sportivi realizzati in occasione dei Giochi Olimpici Invernali 2006.

Lot surface: 17000 sqm
Built surface: 5286 sqm
Seats: n° 2500

Conceived as "hockey rink" on occasion of the Olympic Games, it currently hosts the Italian championship. The main architectural hallmark of the building is the environment, meant as ultimate expression of the landscape, historical and cultural values of the site. The silhouette of the surrounding mountains, the colour of the rocks, the green shade of the vegetal species, define a volume shaped into three large apparently stone blocks but made from texturized cls, mutually fit into each other, like in a rock formation. Firmly driven into the ground by three metres, the visual impact over the surrounding skyline turns out attenuated. Outside, two large plazas: on the front, the urban area aimed at hosting people; at the back: the green area, aimed at sport training purposes and, when the need arises, as spare parking site. In addition, the site fronts of the building provide an artificial climbing facility, the one facing north, an ice wall.
The Ice Rink is part of the sport facilities built on occasion of the past Winter Olympic Games 2006.

Project:
Studio De Ferrari Architetti
con C. Lucchin, C. Roluti
R. D'Ambrogio, Studio Lee
Structural Project:
G. Concer
Plants Project:
M. Bolzan, G.C. Gramoni,
E. Zadra, Studio Lee
Main Contractor:
Consorzio Cooperative
Costruzioni (ITER, CIAB)
Client: Agenzia Torino 2006

157

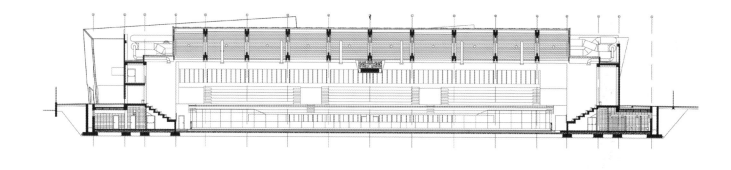

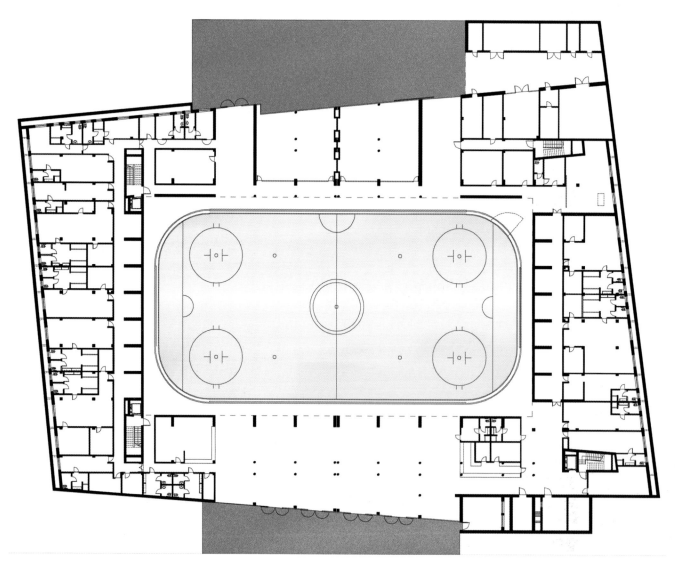

160

Parcheggio di interscambio
Caio Mario, Torino

È il più grande parcheggio di interscambio in superficie auto-tram di Torino. Realizzato alle porte della città in vicinanza del complesso Fiat Mirafiori, di questo reinterpreta, a piccola scala, alcuni caratteri architettonici: i volumi schematici e rigorosi e il colore chiaro delle facciate, qui realizzate in muratura portante di blocchi in cls con superficie a spacco. Tre bassi fabbricati allineati lungo il filare di pioppi cipressini del controviale mediano tra l'area a parcheggio e la fermata della Linea 4, nuovo tracciato tramviario in sede protetta, e ospitano rispettivamente la biglietteria, i servizi, un bar con terrazza e una officina daily repair con annessa rivendita di accessori auto.

Tra gli edifici si aprono piccole piazze urbane protette, come per la fermata, da "alberi tecnologici" con differenti dimensioni e altezze, realizzati in acciaio e sormontati da una bianca copertura in sandwich di alluminio e resina con funzione anche di riflettore della luce.

Lot surface: 3360 sqm
Built surface: 500 sqm
Car parking: n° 660

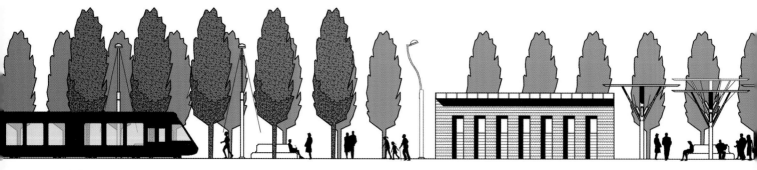

2003
Interchange parking
Caio Mario, Turin

It is Turin's largest car/tram interchange parking. Built on the city outskirts in the surroundings of the Fiat Mirafiori establishment which has inspired, on a smaller scale, a few architectural traits: the compact, strict volumes and the light colour of the façades, in the case in point made from a cls self-bearing brickwork. Three short buildings rising along the poplar-lined service road running between the parking site and the stop of line number 4, new tram line in a sheltered location, host respectively the ticket office and a series of amenities, a café with terrace and a daily repair workshop with adjacent car spare parts retailer. Like for the stop, small urban plazas open among the buildings sheltered by steel "technological trees" designed in different sizes and heights and topped by a white sandwiched aluminium and resin sheet also designed to reflect light.

Project Consultant:
Studio De Ferrari Architetti
Structural Project
Consultant: M. Sassone
Client: GTT
Gruppo Trasporti Torinese

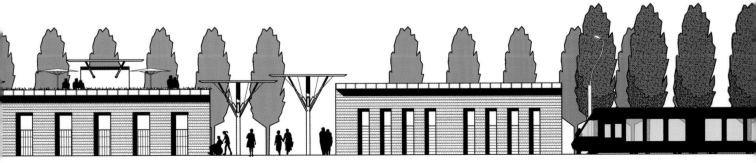

Progetto preliminare di una residenza temporanea per i giornalisti presenti durante l'evento olimpico 2006, riconvertibile in collegio universitario.

Gli edifici, articolati in blocchi, sono tra loro collegati con percorsi esterni (a terra o pensili) che ricompongono il perimetro del tipico isolato torinese.

Effetti di trasparenza e leggerezza sono ottenuti con ampie vetrate a filo della muratura e con elementi metallici per i frangisole, i balconcini, le pergole dei terrazzi, i tamponamenti delle scale.

La volumetria è inoltre scandita da una declinazione di cromie che variano, da blocco a blocco, dai toni saturi a quelli tenui.

All'interno dell'isolato, un giardino pensile sui parcheggi interrati è articolato geometricamente in percorsi pavimentati e aree di sosta con specie vegetali differenziate nelle cromie.

Preliminary project for a temporary accommodation aimed to the journalists attending the 2006 Olympic event, subsequently to be transformed into a campus.

Divided into blocks, the buildings are mutually connected by means of outer walkways (either at ground level or overhead) which reproduce the perimeter of the typical Turin block. Transparency and lightweight effects are achieved by means of large, brickwork-lined windows and metal elements used for the

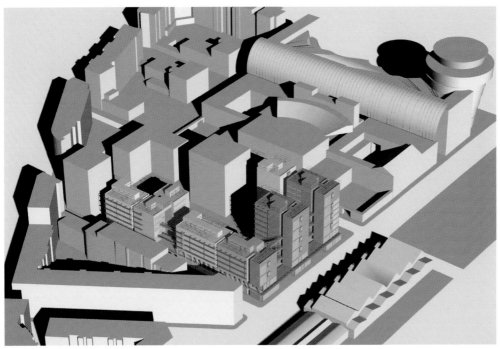

sunshades, the balconies, the terraces and the stair blocks. In addition, the volumes are livened up by a wide variety of colours which, depending upon the blocks, range from saturated to soft colours. Inside the block, a roof garden, standing above the underground garage, is geometrically articulated into paved walkways and rest areas strewn with vegetal species chosen in different colours.

Lot surface: 6700 sqm
Built surface: 13000 sqm
Sleeps: n° 400
Car parking: n° 200

Project:
Studio De Ferrari Architetti
Plants projects: Prodim
Client: TOROC

Movicenter

Venaria Reale, Torino

La Reggia sabauda di Venaria Reale, a restauro ultimato, si configurerà quale grandissima attrazione storico/turistica.

Sul Movicenter convergeranno la ferrovia Torino/Ceres, la navetta per la Reggia, bus, taxi, auto, le piste ciclabili e lo storico percorso pedonale sulle tracce della "Galopada Reale".

La struttura si annuncia quale porta di ingresso, fisica e mediatica, alla visita di Venaria Reale mediante un blocco a ponte sul percorso ferroviario, stazione e luogo dell'informazione turistica, culturale e promozionale. L'esterno in mattoni (il materiale della Reggia), è il primo segnale della città barocca, con riferimenti ad alcuni emblematici stilemi (la Torre Belvedere) in dimensioni reali ma, inaspettatamente, in negativo.

A lato è posizionato il blocco che ospita: sul fronte strada, le biglietterie, i servizi, alcune attività commerciali e l'attesa dei mezzi di trasporto protetta da una lunga pensilina attrezzata; verso l'interno, il parcheggio seminterrato su due piani.

Lot surface: 3070 sqm
Built surface: 6800 sqm
Retail surface: 970 sqm
Public space: 450 sqm
Car parking: n° 223

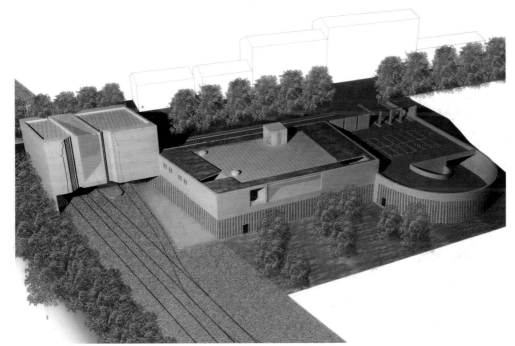

2004
Movicenter
Venaria Reale, Turin

Upon completion of the refurbishment, the Savoy residence at Venaria Reale be as an outstanding historical/tourist attraction. The Movicenter will be the core round which the Turin/Ceres railway line, buses, the shuttle bound to the Residence, taxis, cars, cycle tracks and the historical pedestrian route will gravitate in search of the "Galopada Reale".

The structure announces itself as physical and information gate to the visit of Venaria Reale through a bridge-shaped structure over the railway line, house to and site of tourist, cultural and promotional information. The brickwork outside (the material of the Residence), is the first sign of the Baroque city with references to a few startling canons (the Belvedere Tower) in real-life size but, unexpectedly, in negative.

At the sides, the building that hosts: the street-facing ticket office, a few conveniences and shops, the stop of the means of transport sheltered by a long equipped platform, the two-storey underground parking.

Project:
Studio De Ferrari Architetti
Structural project:
V. Neirotti
Plants projects:
Prodim
Client:
GE.SI.N.

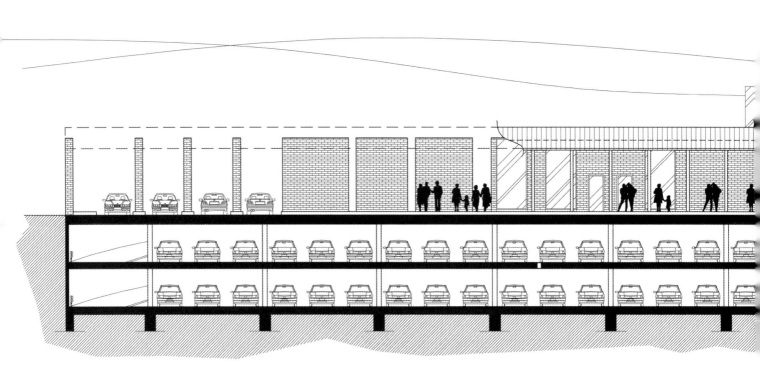

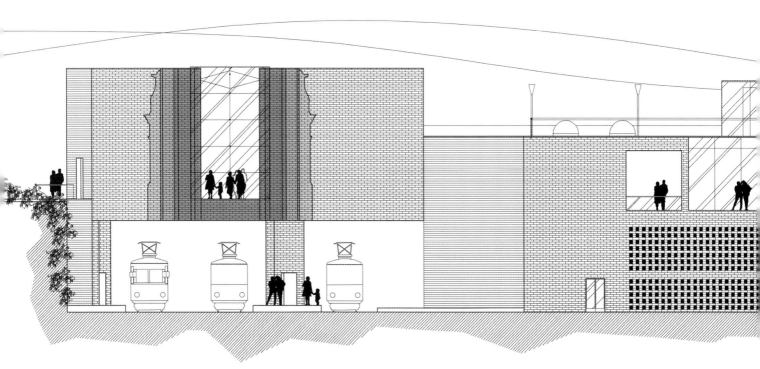

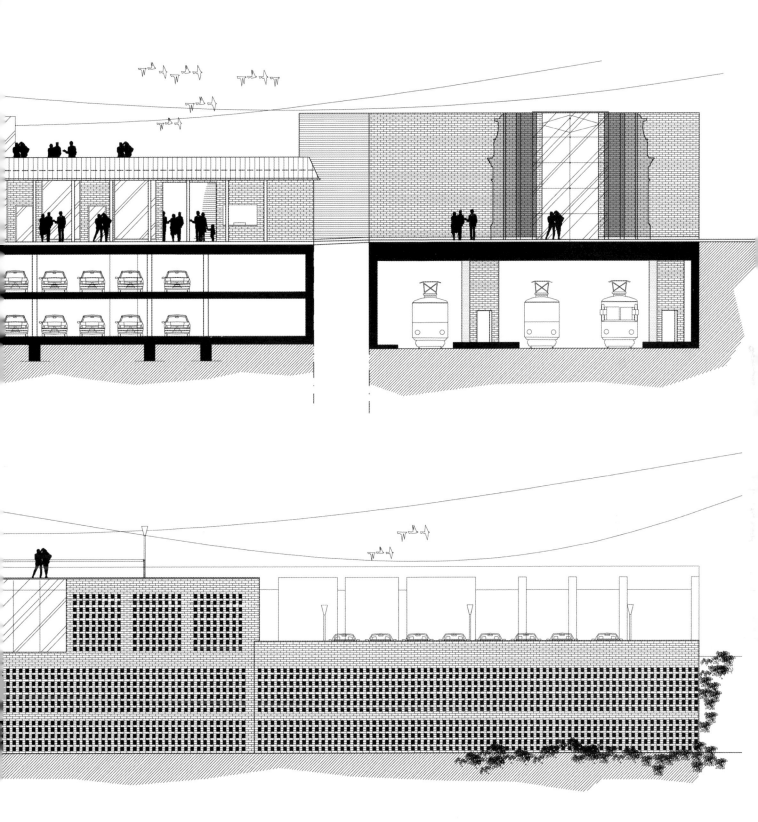

Museo dell'Automobile Biscaretti di Ruffia
Torino

Concorso di idee per la riqualificazione e ampliamento del Museo dell'Automobile Biscaretti di Ruffia.

Il richiesto ampliamento del Museo, realizzato nel 1960 su progetto di Amedeo Albertini, viene risolto trasformando l'attuale cortile aperto, situato tra i due corpi dell'edificio ad "H", in un suggestivo ambiente protetto da una grande galleria trasparente.

Il concetto, coerente con la spazialità ideata da Albertini, è quello della trasformazione del "vuoto esterno" del cortile nel "vuoto interno" del futuro ambiente museale: un ambiente flessibile, illuminato da luce naturale intensa ma non abbagliante, filtrata dalla doppia parete trasparente in policarbonato.

Il parcheggio, dal cortile interno si trasferisce al di sotto del dislivello naturale di corso Unità d'Italia.

Uffici, archivio e servizi quali ristorante, aule didattiche e bookshop sono dislocati nei corpi esistenti, alla ricerca della spazialità aperta centrale. L'intento è quello di "rovesciare" lo sguardo dei visitatori, in modo che anche l'architettura all'interno della quale sono esposti gli autoveicoli possa partecipare allo spettacolo del Museo stesso.

Lot surface: 15000 sqm
Built surface: 19500 sqm

172

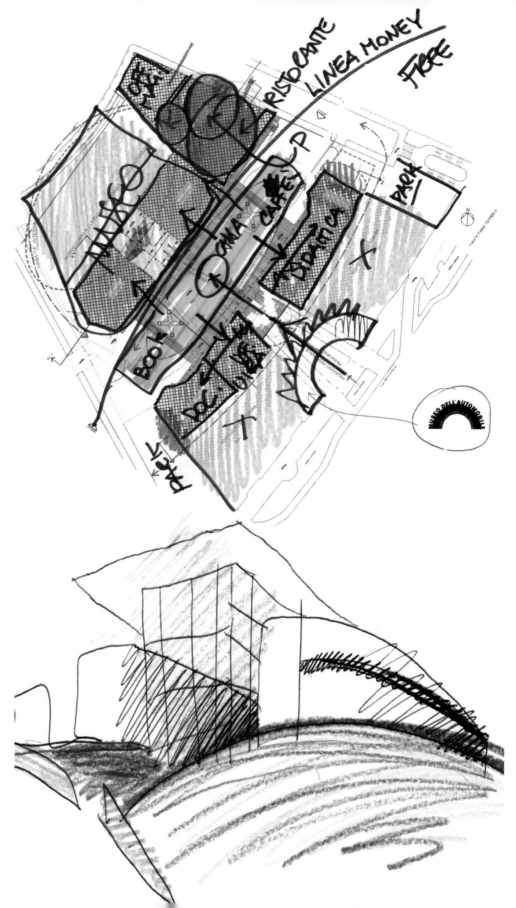

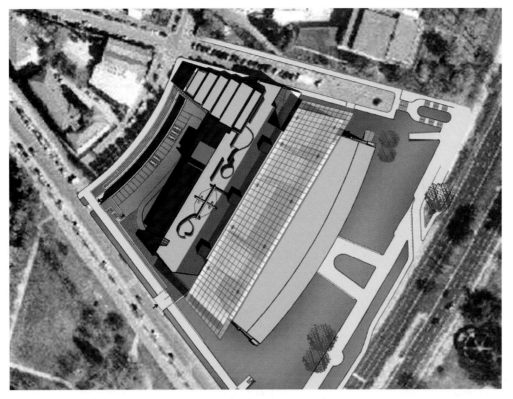

Ideas competition for the renovation and extension of the Car Museum Biscaretti di Ruffia.

The required extension of the Museum built in 1960 to a project by Amedeo Albertini, is implemented by transforming the current courtyard, situated between the two "H-shaped" buildings into a picturesque setting sheltered by a large transparent gallery.
In keeping with the space layout conceived of by Albertini, the concept consists in transforming the "external void" of the courtyard into the "internal void" of the future museum setting: a flexible interior, illuminated by intense though not dazzling daylight, screened through the double polycarbonate transparent wall.
From the internal courtyard, the parking is moved beneath the natural gradient of corso Unità d'Italia. Offices, archive and amenities like restaurant, lecture halls and bookshop are hosted in the current structures in search of the central open space. The goal is "to reverse" the visitors' glance so that also the architecture hosting the cars on view becomes part of the very entertainment performed by the Museum itself.

Project:
Studio De Ferrari Architetti
con G. Durbiano, L. Reinerio
Engineering:
ICIS
Client:
Museo dell'Automobile
Biscaretti di Ruffia

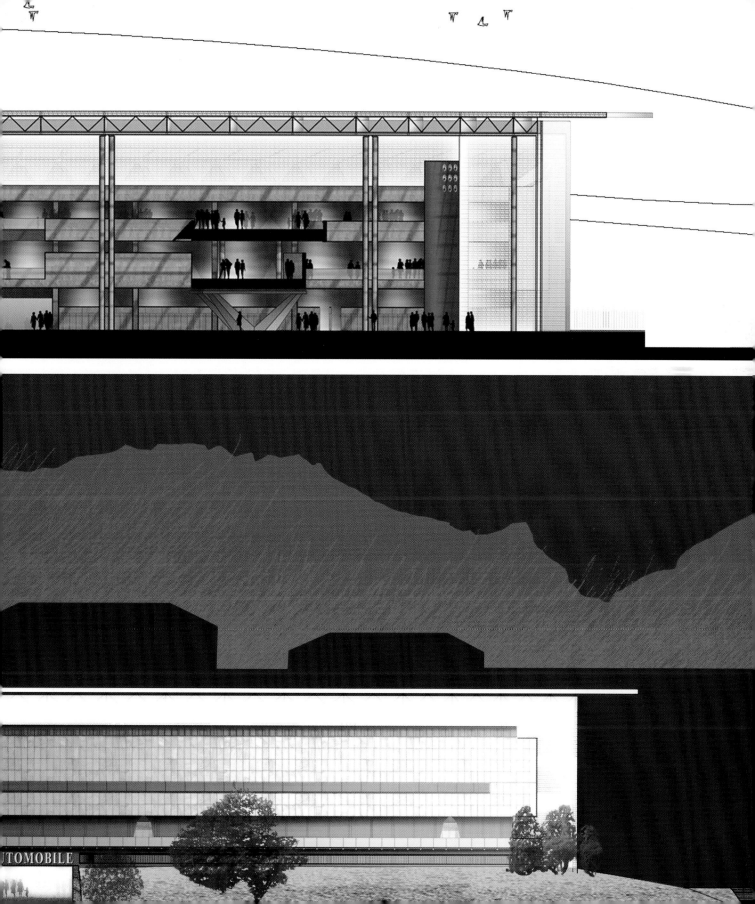

Sede dell'Ordine dei Medici
Torino

Concorso per ristrutturazione, ampliamento e allestimento degli interni di villino urbano storico, con destinazione a Sede dell'Ordine dei Medici.

Nella proposta, il villino liberty si specchia come in un lago nella superficie dello storico giardino, in parte trasformata in copertura vetrata della sottostante aula congressi. Una scenografia mirata all'integrazione delle relazioni fra interno ed esterno e alla costruzione di un ambiente "fluido", che si completa di camminamenti pedonali in legno, vasi storici rivisitati, opere d'arte e grafiche con funzione ombreggiante.

Renovation, extension and interior design competition for a historical urban villa to host the headquarters of the Medical Fraternity.

Based on the project, the Liberty villa mirrors in the surface of the historical garden, exactly like a lake, partly transformed into a glassed roofing of the conference hall underneath. A scenery aimed at integrating the relation between inside and outside and at achieving a "fluid" environment further enriched with wood-clad walkways, renovated historical pots, works of art and graphic panels working as sunshade.

Project:
Studio De Ferrari Architetti
Client:
Ordine dei Medici di Torino

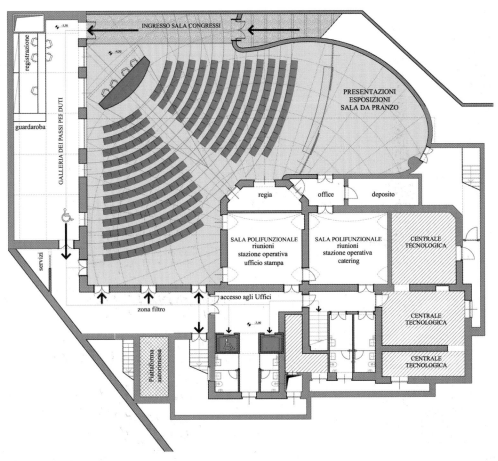

Tra le mura di questo storico edificio industriale si sono avvicendate aziende illuminate che hanno segnato la storia del progresso economico torinese. Ieri, il Gruppo Finanziario Tessile, a cui si deve la contigua, e a questo collegata, Casa Aurora, opera del maestro Aldo Rossi; oggi, Jacobacci & Partners, società internazionalmente nota, leader nella protezione di marchi e brevetti.

Cuore del nuovo intervento è la struttura stessa dell'edificio, suggestivo reticolo in cemento armato che il progetto ha lasciato grezzo in vista e alla quale si sovrappone, senza intersezioni, una sofisticata rete tecnologica di impianti. Concepita come nuovo circuito vitale che attraversa in orizzontale e in verticale l'intero edificio, la rete di impianti e collegamenti si riveste di moduli in lamiera forata con colori declinati in diverse tonalità e integra ogni tipo di servizio tecnologico: fluidi, illuminazione, audio, sicurezza, controllo.

Per adattarsi all'evoluzione delle dinamiche aziendali, gli spazi interni, sia di rappresentanza, sia di lavoro, sono organizzati all'insegna della flessibilità e della trasparenza. Pareti mobili e armadi rivestiti con pannelli laminati fonoassorbenti e incorniciati da ampie vetrate creano ambienti modulabili in funzione delle diverse attività professionali presenti (ingegneri, tecnici, avvocati, amministrativi). Si tratta di open space ed uffici singoli, isolati acusticamente, ma in cui allo

sguardo, compatibilmente con la privacy, non sono poste barriere. Spazi pensati per la trasformazione, anche immediata: come le sale biblioteca, riconvertibili in pochi minuti in aula conferenze grazie alle scaffalature compattabili su rotaia.

Al colore grigio metallo, declinato in toni tenui e nelle varianti del verde e del blu è affidata l'unitarietà dell'immagine complessiva, mentre fanno da contrappunto e da segnale di orientamento, improvvisi fondali, muri e armadi trattati con i colori primari giallo, blu, rosso.

Uno spazio architettonico che è anche spazio d'arte. Guidate da un inedito progetto culturale, nella estesa collezione aziendale di arte contemporanea troviamo opere che si intrecciano fisicamente con la struttura in c.a. e con gli impianti reinventandone i tracciati, creano suggestive partizioni interne, occupano come punti focali i fondali dei corridoi e degli sbarchi degli ascensori: opere che parlano di ingegno, invenzione e creatività all'interno di ogni singolo spazio comune e di ogni ufficio, personalizzandolo.

Built surface: 6000 sqm
Floors: n° 4+1 underground
Workplaces: n° 350

*The walls of this historical in-
dustrial building have hosted
far-sighted companies which
have significantly dotted Turin's economic growth process. In the past, the Gruppo
Finanziario Tessile, which
promoted the adjoining Casa
Aurora designed by the famous architect Aldo Rossi; today, Jacobacci & Partners, a
worldwide renowned com-
pany, leader in trademarks
and patent protection.*

*The core of the new project
resides with the very structure
of the building, an impressive
reinforced concrete frame
which the design has deliberately left unadorned and
overlapping with a sophisticated technological system.
Conceived as new vital circuit
crossing the entire building
horizontally and vertically,
the network of the technical
systems and connections is
clad with perforated metal
sheet modules painted in a variety of colours and encompasses all sorts of technological services: fluids, lighting,
audio, security, control.*

*In order to adapt to the evolu-
tion of the business dynamics,
the interior space, be it for
entertainment and working
purposes, is designed to be
flexible and transparent. Mobile walls and laminate-clad
sound-proof cabinets framed
by large windows achieve interiors adjustable to the various professional functions/
figures (engineers, technical
figures, lawyers, administrators). It is a sound-proof open
space alternating with single
offices leaving the view over*

the surrounding environment totally unobstructed though in keeping with privacy standards. Spaces conceived to be transformed, if the need arises, also on the spot: such as the libraries quickly transformable into meeting rooms thanks to the track-operated shelving.

The global image co-ordination is trusted with the use of soft metal grey shades as well as green and blue, while sudden backdrops, walls and cabinets, coated with primary colours such as yellow, blue, red, provide an effective contrast and also act as signage.

An architectural space which is also an artistic space. Inspired to an unusual cultural project, the company's contemporary art collection numbers works which become physically intertwined with the reinforced concrete framework and the technical plants while redesigning the layout and achieving evocative internal partitions; at the same time they silhouette against the backdrops of the corridors and of the lift landing: works that disclose cleverness, resourcefulness and creativity inside every single collective space and office, thus personalising it.

Project:
Studio De Ferrari Architetti
Plants Project: Prodim
Art Curator: E. Re
Art work:
P. Grassino, F. Giardini
Comunication: Akura
Main Contractor:
Impresa Rosso
Plants: Gozzo Impianti
Interior furniture:
Gruppo Bodino,
Gruppo Fantoni, Milliken
Client:
Jacobacci & Partners

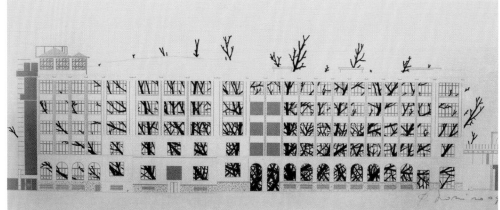

182

Residenza unifamiliare
Rosignano Monferrato, Alessandria

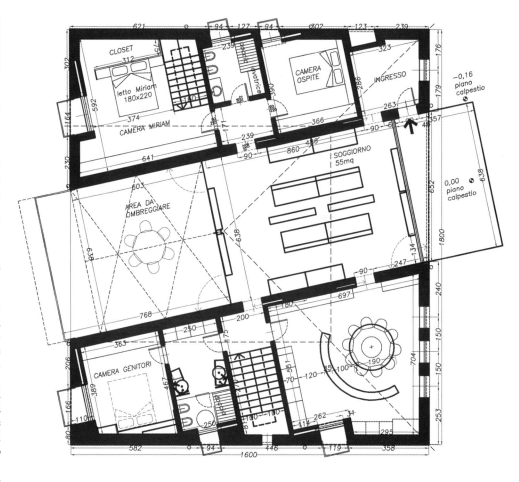

Il vuoto della "corte" si incunea in un volume di nuova costruzione realizzato nel rispetto delle tecniche costruttive locali. Gli spazi abitativi sono collocati su un unico livello al piano terra, mentre nel piano seminterrato sono ricavati zone relax (sala svago, biblioteca, piscina) e vani tecnici.

Il volume si apre sul lato sud, verso valle: la copertura, a falde con manto in coppi, segue l'andamento della manica e ombreggia le grandi vetrate arretrate. Le aperture a tutta altezza sono un riferimento all'architettura rurale locale, come nei fienili i vuoti tra pilastri in tufo.

Nel dialogo tra interno ed esterno si inserisce anche la pavimentazione in doghe che dal soggiorno prosegue nel patio e quindi nell'ingresso su strada.

Il terreno intorno alla costruzione, coltivato a prato, mantiene la pendenza originaria e le essenze arboree esistenti; all'interno ospita una rimessa per auto con copertura in legno, a prosecuzione ideale del patio.

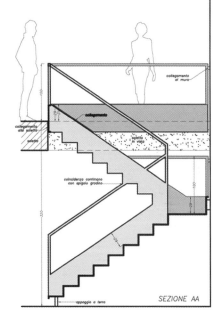

SEZIONE AA

Lot surface: 2000 sqm
Built surface: 500 sqm
Garden: 1700 sqm

The void of the "courtyard" wedges into a newly built volume constructed in keeping with the local building techniques. The living space is connected to the ground floor on a single level, while the basement has provided room for creating relaxation areas (leisure room, reading room, swimming-pool) and technical facilities. The volume faces south, in direction of the valley: the curved tiles-clad pitch roof is one with the development of the wing and shades the large windows set back. The full-length windows are a reference to the local architecture, exactly like the voids left among the tufa pillars of barns.

To the relation established between inside and outside also belongs the wood-block flooring which runs from the living across the patio and eventually reaches for the street-facing entrance.

The meadowing round the building reflects its original inclination and is strewn with the earlier vegetal species; part of it hosts a wooden-topped garage with a view to ideally creating a continuity solution with the patio.

Project:
Studio De Ferrari Architetti
Main Contractor:
Impresa A. Squaiera
Roof structure:
Denaldi Legnami
Client: private

Ponte mobile

San Bonifacio, Verona

Concorso di idee per la progettazione di un ponte sollevabile.
3° classificato

Il Concorso è stato occasione per mettere a frutto l'esperienza maturata con il ponte Domenico Carpanini a Torino. Riproposti sia il sistema di sollevamento con martinetti idraulici sia la conseguente configurazione strutturale "tubolare", che bene sopporta le sollecitazioni torsionali generate da eventuali pressioni difformi (il sistema deve funzionare anche con 3 martinetti). La travatura "rovescia", che consente la necessaria riduzione di spessore dell'impalcato, è formata da travi a "C" con ali rivolte all'esterno per potenziare l'effetto delle ombre. L'insieme è caratterizzato dall'irregolare posizione e inclinazione dei montanti che, preso spunto dalle ramificazioni arboree delle sponde, troverà nell'esatto calcolo rigore e convenienza strutturale. I martinetti agiscono direttamente sui montanti terminali. Quest'ultimi, in fase di sollevamento, svolgono anche la funzione di sistema di ritegno. La colorazione è in diverse tonalità di verde.

Length: 33 m
Lifting: 1,5 m

186

2005
Movable bridge
San Bonifacio, Verona

*Ideas competition for the design of a lift bridge.
Third*

*The competition has provided the occasion to treasure and benefit from the experience gained with the bridge Domenico Carpanini in Turin.
The project features both the lifting system by means of hydraulic jacks and the "tubular" structural configuration that effectively withstands torsional stress generated by different pressures (the system is meant to work also with 3 jacks). The "upside down" framework which permits to reduce the thickness of the boarding, consists of "C-shaped" beams with wings directed outward for maximising the shade effect. The end result is characterised by the irregular position and inclination of the uprights which, taking inspiration from tree branches on the river banks, achieves structural fitness and rigour in pinpoint calculations. The jacks act directly on the end uprights. The latter, during the lifting phase, also fulfil a retaining system function. The colour applied is a variety of green shades.*

Project:
Studio De Ferrari Architetti
con Studio Mazza
Client:
Comune di San Bonifacio

187

Voluto per celebrare i 250 anni dalla nascita di G.B. Viotti, celebre concittadino violinista e compositore, l'intervento riguarda il restauro e ampliamento dell'esistente teatro, una struttura del 1930 in c.a. ma con soffitti e boccascena finemente decorati, soggetti a vincolo.

Il restauro riguarda gli affreschi interni, il consolidamento del plafone in gesso armato che realizza il soffitto della sala e la copertura, per la quale sono state raddoppiate le capriate lignee.

L'ampliamento riguarda il nuovo atrio a doppia altezza, integrato nelle dimensioni e allineamenti alle minute facciate del piccolo centro rurale. Una finestra ellittica con il busto e la firma del Maestro impressa sul paramento sono gli elementi che segnalano il teatro all'esterno. All'interno, serramenti, pavimenti e dettagli ripropongono, interpretato, ciò che già c'era: così le poltrone, ridisegnate sul precedente ma seducente modello in legno compensato e velluto con supporti in metallo e meccanismi a vista.

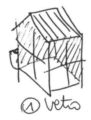  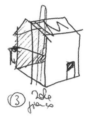  

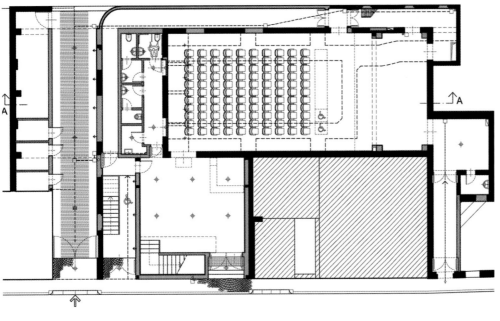

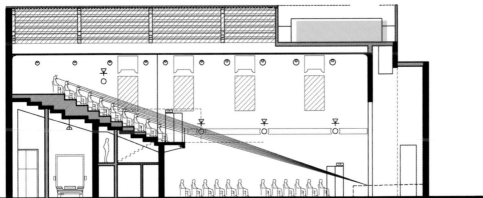

2006
Auditorium
Giovan Battista Viotti
Fontanetto Po, Vercelli

Promoted for celebrating the 250th anniversary of the birth of G.B. Viotti, the famous Vercelli-born violinist and composer, the project deals with the renovation and extension of the current theatre, a reinforced concrete structure dating from 1930 but featuring finely decorated ceilings and aprons subject to conservation restraints.

The renovation concerns the internal frescoes, the reinforcement of the armoured plaster making up the ceiling of the stalls and the roofing, in which case the wooden truss-beams have been doubled.

The extension regards the new, double-height lobby, the size and walls of which have been tuned with the slender façades of the small rural town. An elliptic window with the bust and the signature of the artist engraved on the front are the cues hinting at the theatre presence from outside. Inside, windows, floors and details feature a reappraised version of what was already there: likewise, the armchairs, inspired to the earlier, fascinating plywood and velvet model, with metal details and mechanisms left to sight.

Built surface: 750 sqm
Seats: n° 220

Project:
Studio De Ferrari Architetti
con M. Chiocchetti
Plants project:
Prodim
Main Contractor:
Consorzio Ravennate
Client:
Comune di Fontanetto Po

Area ex Remmert
Centro residenziale/terziario
Ciriè, Torino

Il completamento dell'area ex Remmert, sede delle storiche manifatture liberty (opera di Pietro Fenoglio) oggi riconvertite in centro polifunzionale, segue le linee guida definite per l'intero comparto edilizio:
- un edificato in linea, con destinazione residenziale e terziaria, caratterizzato da soluzioni di continuità che ne frammentano la volumetria riducendone l'impatto visivo;
- al piano terra, un basamento commerciale vetrato in cui la copertura a falda ricompone lo sviluppo lineare della costruzione, solo interrotta, come nei precedenti lotti realizzati, da cesure prospettiche puntate sulla suggestiva architettura delle ex manifatture.

Uno zoccolo trasparente dal quale si ergono, come sospesi, i blocchi residenziali, le cui coperture, i serramenti e i materiali di facciata adottano il linguaggio delle architetture del contesto: le tipiche ampie falde alla piemontese, il cui profilo di gronda è qui impreziosito da un andamento spezzato a copertura dei sottostanti terrazzi e logge; i serramenti a "gelosia" di taglio piemontese; l'alternanza del laterizio e dell'intonaco in terre naturali locali quale rivestimento delle murature.

Built surface: 8000 sqm
Floors: n° 6

Former Remmert Area
Residential/service estate centre
Ciriè, Turin

The completion of the former Remmert area, house to the historical Liberty works (by Pietro Fenoglio), currently transformed into multi-functional centre, complies with the guidelines applying to the entire urban development project:
- street-lined buildings, with residential and service functions, characterised by continuity solutions aimed at fragmenting the volumes so as to attenuate the visual impact;
- on the ground floor a glassed commercial structure the pitch roof of which reflects the linear development of the building, only interrupted as for the earlier built-up lots, by openings overlooking the fascinating architecture of the former works.
A transparent base from which, nearly up in the air, rise the residential buildings where roofs, windows and facing materials share the same language as the local architectures: the typical Piedmont large pitched-roofs the eaves of which is enhanced by a broken development for covering the terraces and balconies underneath; the classic Piedmont "jalousie" windows; the wall coating alternates brickwork with local natural earth plaster.

Project:
Studio De Ferrari Architetti
Structural project:
M. Tobaldini
Main Contractor:
Obert Costruzioni
Client:
Obert Costruzioni

Collocato in un'area di trasformazione urbanistica, da industriale a residenziale, l'edificio in progetto è il primo di una serie che saranno realizzati, su quattro lotti paralleli declinando un unico linguaggio architettonico.

Il lessico prende spunto da la "Fornasetta", antica fornace di calce, monumento nazionale e riminiscenza della precedente destinazione industriale.

I diversi elementi costruttivi del precedente insediamento industriale sono declinati in funzione della nuova destinazione d'uso: un paramento in mattone faccia a vista, posato a corsi sfalsati; una copertura generosamente sporgente, caratterizzata da una articolata geometria; una struttura a capriate metalliche visibili, che rende quasi sospeso e visivamente leggero il grande tetto. Inoltre, l'uso del legno per le protezioni e gli oscuramenti in facciata: pannelli a lamelle di legno realizzano le ante per l'oscuramento, i parapetti dei terrazzi e gli schermi dei vani scala esterni.

Lot surface: 3200 sqm
Built surface: 1420 sqm
Residential flats: n° 17

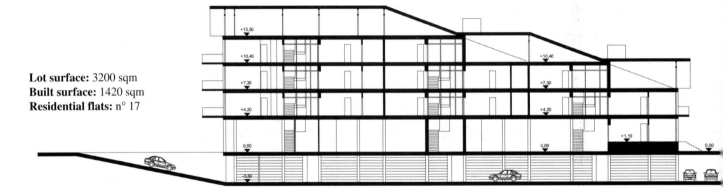

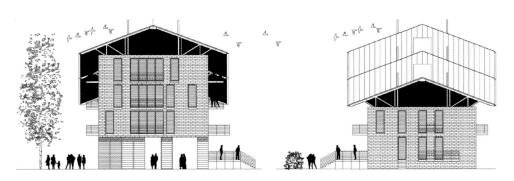

2006
Residential building
Casale Monferrato, Alessandria

Set in an urban re-development area, to be switched from industrial to residential, the building is the first of a number of buildings to be built onto four parallel sites inspired to a single architectural language.

The lexicon borrows from "Fornasetta", an ancient lime-kiln, a national monument and memory of the past industrial vocation.

The different building elements of the past industrial settlement provide inspiration to the new intended use: a face brick facing laid staggered; a largely overhanging roof characterised by an articulate geometry; a metal truss-beam framework which has the large roof look like it were suspended and visually lightweight.

In addition, wood has been used for the window shutters and protection devices on the façade: wood slatted panels have been used for the shutters, the terrace parapets and the screens of the outdoor stair blocks.

Project:
Studio De Ferrari Architetti
Client:
private

Quartiere polifunzionale con grattacielo
Bucarest

Concorso ad inviti per l'area Barbu Vacarescu.
Progetto vincitore.

Affacciato sui laghi di Bucarest, il grattacielo si riveste di un foglio trasparente dai profili sinuosi verso sud, dove i solai diventano terrazzi verdi con diversa profondità. Un segno forte e leggero allo stesso tempo, ripreso anche nell'edificato residenziale e terziario sul perimetro del lotto. Al centro, un grande parco pubblico in cui il verde circonda gli edifici minori di un villaggio residenziale e si arrampica con un'immagine insolita, domestica, sulle facciate degli edifici più alti.
Il grattacielo è concepito come segnale fisico e simbolo del rinascimento urbano della capitale; rifugge dai linguaggi high tech e dai primati per esplorare la via della sostenibilità. Il cuore è trafitto dalla luce naturale proveniente dai grandi pozzi vetrati su cui si affacciano gli spazi comuni di uffici, piani commerciali (in basso) e albergo (in alto), di cui alcune camere godono dell'affaccio spettacolare dalla prua dell'edificio. Una "intelligente" struttura antisismica, la facciata continua ventilata con vetri basso emissivi graficizzati e i giardini pensili posti sul fronte a sud testimoniano e completano le scelte sostenibili.

Lot surface: 91000 sqm
Built surface: 432000 sqm
Skyscraper built surface: 82000 sqm
Skyscraper floors: n° 35

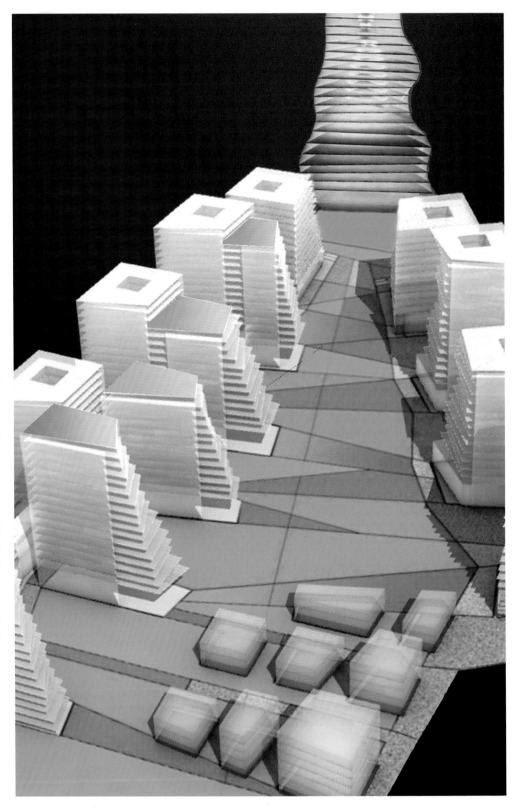

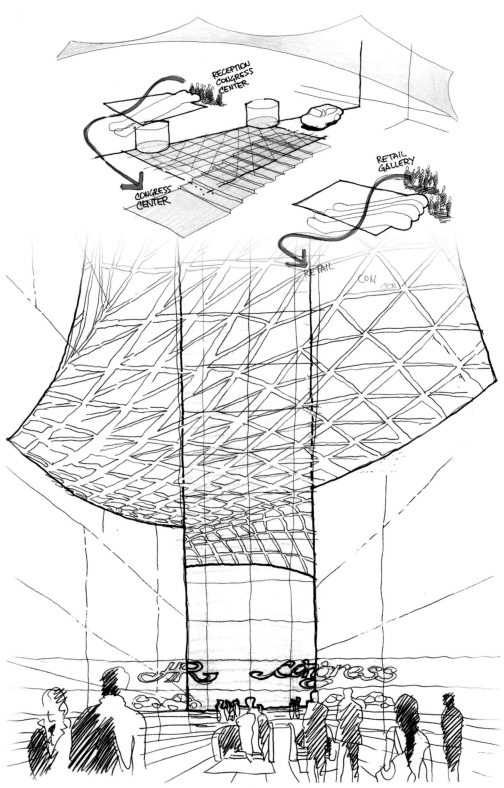

2006
Multi-functional
neighbourhood with
skyscraper
Bucarest

Invitation-based competition
for the Barbu Vacarescu area.
Top one project

Overlooking the lakes of Buca-
rest, the skyscraper is clad with
a transparent sheet sinuously
silhouetting to the south where
the floor slabs become variou-
sly sized green terraces. An im-
pactful and light sign at the sa-
me time, also adopted for the
residential and service buil-
dings at the edge of the site. In
the middle, a large town park
where the vegetation sur-
rounds the smaller buildings of
a residential estate and paves
its way through the façades of
the higher buildings with an
unusual, familiar image. The
skyscraper is conceived as
physical sign and symbol of the
capital's urban rebirth; it di-
smisses high-tech languages
and records to explore sustai-
nability solutions. The heart is
pierced by the daylight coming
from the large windows onto
which look the common spaces
of the offices, commercial sto-
res (in the bottom) and hotel
(on top), a few rooms of which
enjoy a breath-taking view
from the head of the building.
A "smart" earthquake-proof
structure, the ventilated curtain
wall with low-emission glass
sheets and the roof gardens set
up on the southern front testify
to and add to the sustainable
choices.

Project:
Studio De Ferrari Architetti
Structural Project:
POPP&Associati
Plants Project: Prodim
Client: private

197

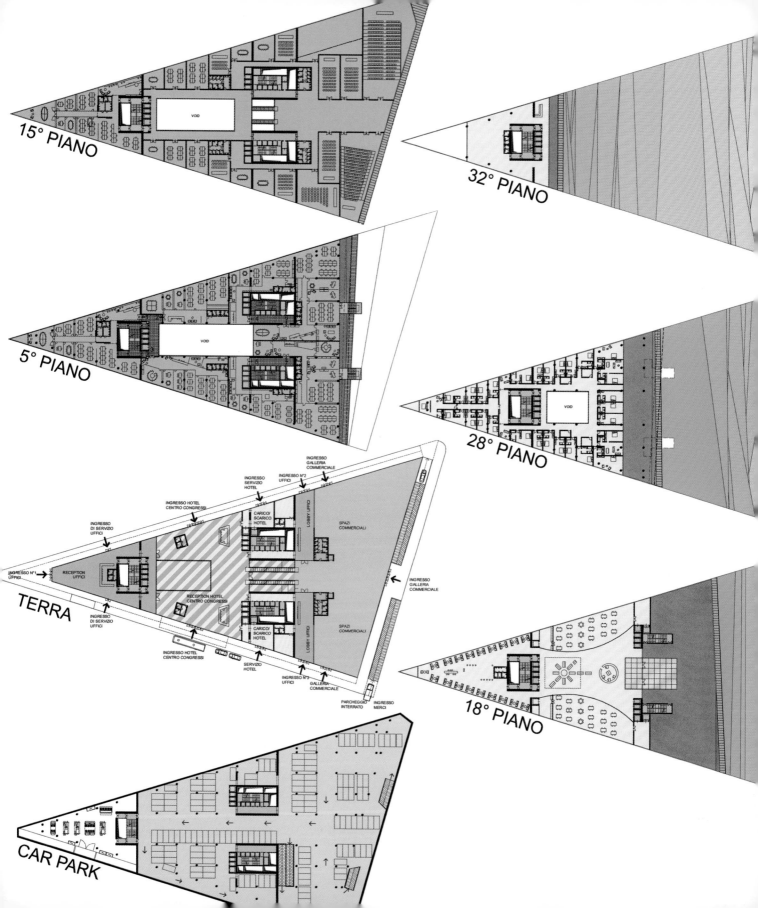

15° PIANO

VOID

32° PIANO

5° PIANO

VOID

28° PIANO

VOID

TERRA

INGRESSO
GALLERIA
COMMERCIALE

INGRESSO
SERVIZIO
HOTEL

INGRESSO N°2
UFFICI

INGRESSO HOTEL
CENTRO CONGRESSI

CARICO/
SCARICO
HOTEL

LOBBY UFFICI

SPAZI
COMMERCIALI

INGRESSO
DI SERVIZIO
UFFICI

INGRESSO N°1
UFFICI

RECEPTION
UFFICI

RECEPTION HOTEL
CENTRO CONGRESSI

INGRESSO
GALLERIA
COMMERCIALE

INGRESSO
DI SERVIZIO
UFFICI

LOBBY UFFICI

SPAZI
COMMERCIALI

INGRESSO HOTEL
CENTRO CONGRESSI

SERVIZIO
HOTEL

INGRESSO N°2
UFFICI

GALLERIA
COMMERCIALE

PARCHEGGIO
INTERRATO

INGRESSO
MERCI

18° PIANO

CAR PARK

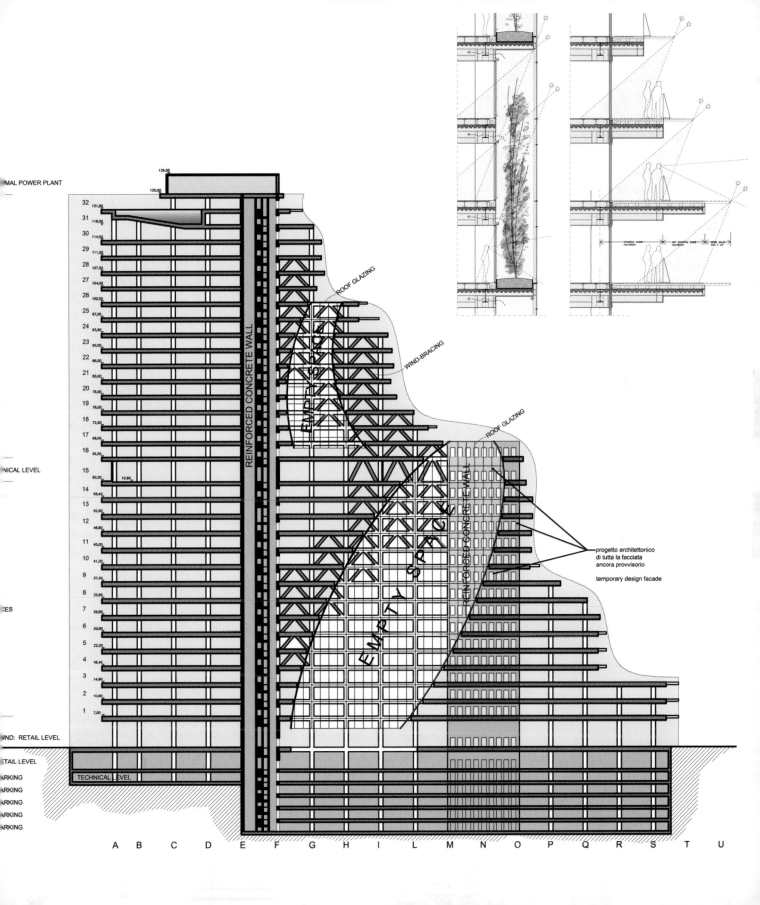

THERMAL POWER PLANT

TECHNICAL LEVEL

OFFICES

GROUND: RETAIL LEVEL

RETAIL LEVEL

PARKING
PARKING
PARKING
PARKING

TECHNICAL LEVEL

REINFORCED CONCRETE WALL

ROOF GLAZING

WIND-BRACING

EMPTY SPACE

EMPTY SPACE

REINFORCED CONCRETE WALL

ROOF GLAZING

progetto architettonico
di tutta la facciata
ancora provvisorio

temporary design facade

129,50
125,00

32 121,60
31 118,00
30 114,50
29 111,00
28 107,50
27 104,00
26 100,50
25 97,00
24 93,50
23 90,00
22 86,50
21 83,00
20 79,50
19 76,00
18 72,50
17 69,00
16 65,50
15 60,20   10,60
14 56,40
13 52,60
12 48,80
11 45,00
10 41,20
9 37,40
8 33,60
7 29,80
6 26,00
5 22,20
4 18,40
3 14,60
2 10,80
1 7,00

A B C D E F G H I L M N O P Q R S T U

Allestimenti
Mostre, Design
Exhibition design
Shows, Design

Una mostra itinerante, ospitata in numerose sedi culturali europee, caratterizzata da un allestimento "musicale". Il lavoro artigiano che trasforma il progetto di giovani designers in un'opera compiuta rimanda alla messa in musica di una partitura: come spartiti musicali, i progetti sono pertanto posati su leggii da orchestra.

Ingigantite sulle pareti, le mani degli artigiani impugnano gli strumenti di lavoro. Moquette rossa e tende di velluto delimitano gli spazi, completando la metafora del Teatro dell'Opera.

L'illuminazione puntuale sottolinea gli oggetti liberamente posati a terra, immaginando partiture destinate a cambiare nei futuri allestimenti, oppure gli oggetti più piccoli, allineati su lunghi tavoli rossi con regolarità, l'unico segno lineare della visita. Accompagna il visitatore un sottofondo sonoro dove le voci degli artigiani ed i rumori del lavoro si integrano con suoni e melodie del repertorio dialettale.

Exhibition surface: 1000 sqm

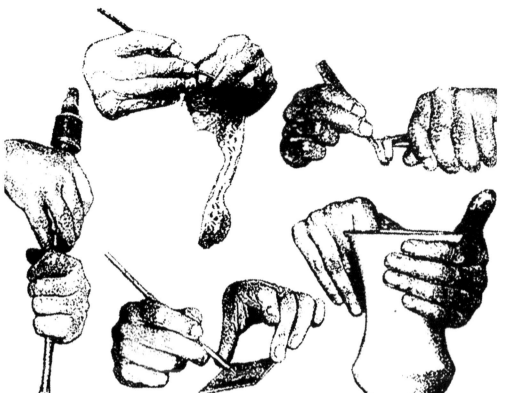

1999
Travelling show
"Designing Craft Europe"

A travelling show, held in a great many European cultural venues, characterized by a "musical" exhibit design. The craft work that transforms the project of a few young designers into an accomplished work evokes a score set to music: like music scores, the projects are placed on orchestra stands.

Blown-up on the walls, the craftsmen's hands are shown holding the working tools.

Red carpeting and velvet curtains delimit the space, thus completing the metaphor of the Opera Theatre.

The clever lighting system gives standout to the exhibits loosely placed on the floor, while conjuring up scores bound to change during the future exhibition designs, or the tiniest objects, regularly lined up onto red, long tables, the only linear sign of the show. A background sound accompanies the visitors while the craftsmen's voices and the noise of their work become one with the sounds and melodies of the dialect repertoire.

Curator:
Alberto Donini
Exhibition and Graphic Design:
Studio De Ferrari Architetti
Installation:
Gruppo Bodino
Client:
Union Camere Piemonte

Allestita in alcune piazze centrali di Torino, in occasione del Centenario di fondazione della FIAT, la mostra racconta l'evoluzione del distretto automobile cresciuto intorno a questa grande fabbrica italiana. Carrozzieri italiani che hanno contribuito in modo determinante al successo dell'industria automobilistica nazionale e non solo: alcune decine di milioni di auto sono uscite dalle catene di montaggio dei più importanti costruttori di tutto il mondo portando la loro inconfondibile firma.

In mostra, oltre ai modelli di serie, i prototipi realizzati per FIAT hanno dato vita a spettacolari vetrine della creatività.

Leggerezza e tecnologia: due caratteri dell'allestimento che ne hanno facilitato l'inserimento nel contesto delle piazze auliche torinesi.

Inoltre, una ricca documentazione di progetti e modelli è stata raccolta in una "vettura" espositiva, lunga oltre trenta metri, supportata da una fitta sequenza di ruote automobilistiche.

Exhibition surface: 7200 sqm

1899 FIAT 1999

con il patrocinio di
**REGIONE PIEMONTE
PROVINCIA DI TORINO
CITTA' DI TORINO
POLITECNICO DI TORINO**

CARROZZIERI ITALIANI

**70 CAPOLAVORI
PER FIAT
DAL 1899 AD OGGI**

ARICAR
BERTONE
CECOMP
COGGIOLA
FIORAVANTI
FONTAUTO
GHIA
GIANNINI
GOLDEN CAR
G STUDIO
IDEA INSTITUTE
ITALDESIGN
MAGGIORA
MARAZZI
MARIANI F.LLI
OPAC
PININFARINA
REPETTI
SAVIO
STOLA
ZAGATO

GRUPPO
CARROZZIERI
ITALIANI

ANFIA
ASSOCIAZIONE NAZIONALE
FRA INDUSTRIE AUTOMOBILISTICHE

**10-19 LUGLIO
PIAZZA CARIGNANO
VIA CESARE BATTISTI
PIAZZA CARLO ALBERTO
TORINO**

1999
Show
"Italian Coach-builders"
Turin

Set up in a few central squares of Turin on occasion of the centenary of the foundation of FIAT, the show illustrates the evolution of the car district that came into being round this great Italian factory. Italian coach-builders who have given a major contribution to the success of the domestic car industry and beyond: a few dozen million cars have been shaped on the assembly lines of the foremost car makers worldwide bearing their unmistakable signature.

Next to standard models and prototypes built on behalf of FIAT, the show has also gathered amazing examples of creativity.

Lightness and technology: two characteristics of the exhibition design which have aided their fitting in the framework of Turin's sublime squares.

In addition, an extensive collection of designs and models has been gathered in a displaying "car", over thirty metres long, aided by a broad selection of car wheels.

Curator: Anfia
Gruppo Carrozzieri Italiani
Exhibition and Graphic Design:
Studio De Ferrari Architetti
Installation:
Mostrefiere
Client: Anfia,
Gruppo Carrozzieri Italiani

Mostra realizzata presso il complesso dell'Abbazia delle Tre Fontane, sito dalle spiccate valenze storico-artistiche che hanno informato l'intervento nei suoi caratteri effimeri. Lungo un percorso di 1,5 km, più scenari evocano il cammino dell'umanità alla ricerca della Rivelazione. Sagome di personaggi e di genti accolgono i pellegrini e li accompagnano ad un anfiteatro di stendardi raffiguranti i libri sacri delle sei grandi religioni. Su un campo di grano, un assito in legno ospita gli allestimenti dove ai pellegrini sono proposte attività pro Missioni. Tra queste, il mosaico della solidarietà raffigurante un dettaglio della Creazione di Michelangelo: 150 mq da completare più volte al giorno utilizzando oltre 2.000 tessere magnetiche a colori.

Exhibition surface: 20000 sqm

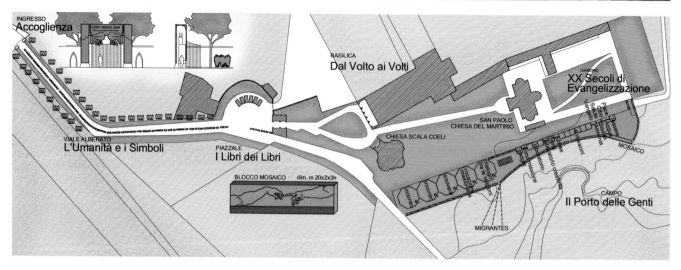

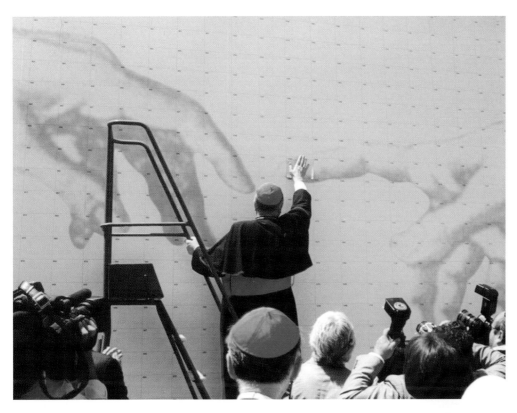

2000
"Expo Missio 2000"
Great Jubilee
Rome

A show set up at the Abbazie delle Tre Fontane, a site of great historic-artistic relevance which has permeated the project across its ephemeral traits.

Along a 1,5 km. route, a multitude of scenarios evoke mankind's march in search of Revelation. Silhouettes of characters and people welcome pilgrims while leading them to an amphitheatre of banners portraying the holy books of the six main religions.

On a wheat field, a wooden planking provides the backdrop to the exhibit design where the pilgrims are proposed activities in favour of the Missions.

Amongst them, the mosaic of solidarity showing a detail of Michelangelo's Creation: 150 sq. mt. to be completed several times a day by using over 2,000 coloured magnetic tiles.

Project 1st, 3rd scenarios:
Studio De Ferrari Architetti con C. De Giorgi
Technical coordination:
Studio Tecnico Reinerio
Installation:
Gruppo Bodino, Euphon
Client:
Comitato Centrale Grande Giubileo 2000

La manifestazione giunta alla quarta edizione, si propone di valorizzare nuovi talenti internazionali del campo automobilistico. Ospitata per la prima volta nello juvarriano Palazzo Birago, è divisa in due parti:

- al piano nobile i migliori progetti (tavole e modellini su supporti in vetro appositamente disegnati) presentati dai giovani di oltre venticinque paesi;

- nel cortile d'onore otto "concept car" delle maggiori case di stile e progettazione locali a sottolineare il talento creativo e la concretezza tutta piemontese del saper interpretare lo stile del made in Italy. La forma e l'eccezionalità del sito hanno suggerito la disposizione ad ellisse delle vetture la cui protezione è pretesto per una supergrafica che rende particolarmente suggestivo l'affaccio dal piano nobile.

Tutte le attrezzature sono riutilizzabili.

Total surface: 300 sqm

Exhibition, Graphic Design:
Studio De Ferrari Architetti
Main contractor:
Gruppo Bodino
Client:
ANFIA Gruppo Carozzieri
CCIAA, Torino

2004
Show
"Youth Italian Style"
Turin

At its fourth edition, the event is meant to give standout to new international talents in the car industry scenario. Set up for the first time at Palazzo Birago, designed by Juvarra, it is divided into two sections:
- on the mezzanine, the best projects (tables and scale models placed onto purpose-built glass display facilities) presented by young professionals coming from over 25 countries;
- in the central courtyard, eight "concept cars" by the foremost local car design and styling centres with a view to stressing Piedmont's creative talent and matter-of-factness in celebrating the made in Italy style. The very shape and extraordinariness of the site have suggested to display the cars based on an elliptical layout the protection of which has occasioned the design of a supergraphics which adds remarkably to the view from the mezzanine.
All the facilities are reusable.

Progettato per una mostra itinerante di prodotti di disegno
industriale, l'allestimento
consta di moduli in lamiera
forata su disegno (il logo della mostra si ripete su ogni
modulo) che realizzano una
vetrina standard autoportante
e diversamente aggregabile
in funzione dei diversi contesti espositivi. I componenti
sono facilmente montabili e
smontabili, i materiali non
effimeri e i trattamenti super-
ficiali resistenti ad un uso in-
tenso.

Le superfici espositive sono
il racconto che si snoda in se-
zioni tematiche: il color grigio metallico incornicia o
realizza uno sfondo neutrale
per la colorata moltitudine di
prodotti illustrati nelle loro
peculiarità. Brevi storie intro-
duttive e didascalie sono uni-
ficate nel formato e ospitate
in apposite sedi ricavate dalla
piegatura delle lamiere (con
funzione anche di irrigidi-
mento).

Pannelli con grafiche dedicate al Sistema Design e a note
definizioni sul Design in Piemonte realizzano i fondali di
queste strade del design.

Exhibition surface: 600 sqm

2006
Show
"Piedmont Turin Design"

Designed for a travelling show of industrial design products, the exhibit design consists of custom-made punched metal plate modules (the logo of the show is replicated on every single module) which translate into stand-alone standardised window-cases variously combinable with a variety of show events and contexts. The components are easily assemblable and disassemblable, materials are longlasting, while the surface is finished to be hard-wearing. The exhibit areas are the plot of a narration that unfolds across theme sections: the metal grey shade frames or provides a neutral backdrop to the colourful multitude of products illustrated together with their singularity through a series of brief introductory and descriptive stories standardised as to their format and accommodated in purpose-built housings carved into the metal plate (thus fulfilling a hardening function too). Graphic boards dedicated to the Design System and to famous quotations about Design in Piedmont provide the backdrops to the design paths.

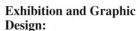

相约华夏　意会中国
ITALY MEETS CHINA
L'ITALIA INCONTRA LA CINA

Exhibition and Graphic Design:
Studio De Ferrari Architetti con C. De Giorgi
Installation:
Gruppo Bodino,
Fabbricanti di Immagine
Client:
Società degli Ingegneri e degli Architetti in Torino,
Regione Piemonte,
Città di Torino,
CCIAA Torino

211

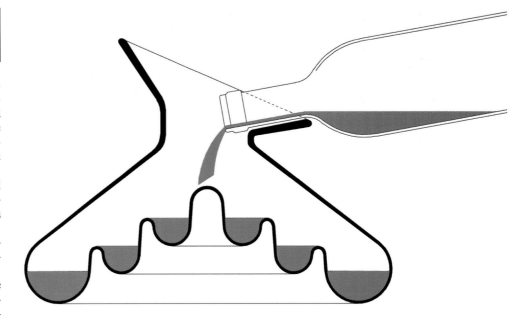

Il "decanter", ampolla destinata all'ossigenazione del vino è reinterpretato con una
particolare sezione a vasche
in cui il vino tracimando po-
tenzia il risultato in tempi più
ridotti.
Destinato ai grandi vini rossi
è realizzato in vetro di ecce-
zionale trasparenza, per una
bottiglia di 750 mml.
L'imboccatura inclinata consente un migliore avvicina-
mento della bottiglia.
Il vino in trattamento assume
una forma inedita: rossi anel-
li concentrici disposti tridi-
mensionalmente.

*The "decanter", the cruet
used to the aim of wine oxy-
genation, is redesigned in
form of a peculiar tank-sha-
ped section whereby wine
overflows, thus magnifying
the result over a shorter time.
Aimed to important red wi-
nes, it is made from crystal-
clear glass and has a 750 ml.
capacity.
The tilted mouth allows a
better handling of the bottle.
The wine going through this
process takes on an unusual
shape: three-dimensional red
concentric rings.*

Design:
Studio De Ferrari Architetti
Client:
Evento "Segnali di cibo"

214

"nOVO", linea di accessori da bagno dedicata al mercato della grande distribuzione, è realizzata in polipropilene, materiale termoplastico ecocompatibile stampato ad iniezione e a gas.

L'elissoide uovo, idealmente sezionato secondo piani diversi e poi scavato, stirato, oppure estruso si declina in porta sapone, porta spazzolini, spazzolini, portarotolo, porta scopino, mensole, ganci e divertenti porta asciugamani posizionabili e combinabili in funzione dello spazio disponibile.

Proposta nella gamma di colori: argento, ghisa, terracotta, avorio.

"nOVO", a collection of bathroom accessories targeted to large scale retail trade, is made of polypropylene, an injection- and gas-moulded eco-sustainable thermoplastic material.

The ellipse-shaped egg, ideally sectioned in different shapes and eventually hollowed, drawn or extruded, offers a broad variety of objects such as soap dish, toothbrush cup, toothbrushes, toilet paper holder, toilet brush, shelves, hooks and fancy towel racks to be combined and fastened depending upon the space available. It comes in the following colour range: silver, cast iron, terracotta, ivory.

Design:
Studio De Ferrari Architetti
Client:
Saturno Casa

215

Ogni anno, da sempre, abbiamo disegnato gli auguri di Natale all'ultimo minuto disponibile. Anni fa il termine ultimo erano i 3-4 giorni del mezzo postale, poi l'avvento del fax ha posticipato a poche ore il momento dell'invio, l'e-mail ha consentito il brivido della diretta. Ma il metodo non è cambiato: sfruttiamo il contesto nel senso più stretto del termine. Ovvero vale tutto ciò che è a portata di mano, dalla bottiglia appena stappata alla foto taroccata del cantiere finito lo scorso mese, al premio ritirato, alla foto di gruppo truccata. Quest'anno non sappiamo ancora, ma la copertina di questo libro potrebbe diventare una occasione irresistibile.

As always, every year we have designed the Christmas cards at the very last minute. Until a few years ago, the deadline coincided with the average three-four days required by the post, subsequently the rise of the fax has shifted the forwarding to a few hours; while the e-mail has made us experience the live thrill. Still the method has not changed: we take advantage of the context in the strictest sense of the word. In a nutshell, anything at hand can do, from the newly unwrapped bottle to the touched-up picture of the building site completed the month before, the award collected, the group picture. This year we do not know yet, but the cover of the present book might provide a very tempting occasion.

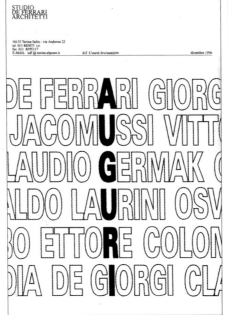

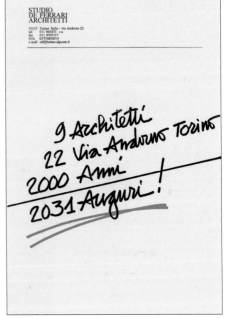

216

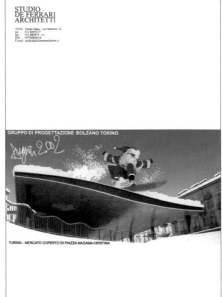

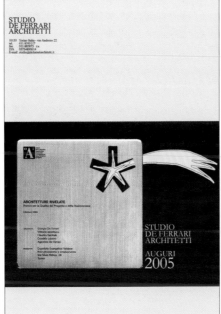

Regesto delle opere
Main works

Bibliografia
Bibliography

Note biografiche
Biographical notes

Credits

Regesto delle opere/*Main works*

Le opere in Regesto documentano:
dal 1964 al 1983 l'attività di Giorgio De Ferrari;
dal 1984 al 1986 l'attività di Giorgio De Ferrari in associazione con Vittorio Jacomussi;
dal 1986 al 1998 l'attività di Giorgio De Ferrari, Vittorio Jacomussi, Claudio Germak, Osvaldo Laurini Associati nello Studio De Ferrari Architetti;
dal 1998 ad oggi l'attività degli Associati a cui si aggiunge nel 1999 Agostino De Ferrari.

In parentesi sono indicati i nomi dei professionisti con i quali si è collaborato su specifici progetti.
• Le opere con * sono documentate nel primo volume "I luoghi e il progetto";
• le opere con ** sono documentate in questo secondo volume;
• le opere con *** sono documentate in entrambi i volumi.

The main works illustrate:
Giorgio De Ferrari's work between 1964 and 1983;
Giorgio De Ferrari's work in collaboration with Vittorio Jacomussi between 1984 and 1986;
Giorgio De Ferrari, Vittorio Jacomussi, Claudio Germak, Osvaldo Laurini Associates' work at Studio De Ferrari Architetti between 1986 and 1998;
the Associates' work between 1998 and today joined by Agostino De Ferrari in 1999.

The names in parenthesis refer to the professionals who have collaborated to specific projects.
• *The works marked with * are illustrated in the first volume "Places and design";*
• *the works marked with ** are illustrated in the present volume;*
• *the works marked with *** are illustrated in both volumes.*

1961
Edificio commerciale
Acqui Terme, Alessandria
Edificio su due piani con destinazione commerciale e di servizio ad attività sportive nel parco della zona termale
(con L. Mazza).
committenza: privata
eseguito

1962/1965
Villa Vigliardi Paravia, Candiolo.
Villa Merlini, Torino.
Arredi nella "Bottega di Erasmus", Torino.
Case INA al quartiere Le Vallette, Torino.
Chiesa, Montoso.
collaborazioni nello "Studio Gabetti e Isola"

1963 (ill. 1)
Sedia Abet Print
Sedia sperimentale con supporto in acciaio tubolare e piani ergonomici industrializzati in laminato plastico stampato
(con C. Paolini, L. Re).
committenza: Abet Laminati
prototipo

1963
Abitazione, Torino
Ristrutturazione muraria interna e arredi di un alloggio a destinazione abitativa unifamiliare in corso Re Umberto.
committenza: privata.
eseguito

1963/1965
Due edifici residenziali
Corio Canavese, Torino
Edifici residenziali multipiano
(con A. Bechis).
committenza: privata
eseguiti

1
2
3
4

1964
Abitazione, Torino
Ristrutturazione e arredi di un alloggio unifamiliare in edificio d'epoca in corso Montevecchio.
committenza: privata
eseguito

1965 (ill. 3)
Scaffalatura "Guscio"
Sistema per la produzione seriale di moduli diversamente componibili, realizzati in legno compensato curvo
(con M. Semino).
prototipo

1965 (ill. 2)
Edificio residenziale, Torino
Edificio multipiano ad alloggi in via Monte Asolone
(con T. Rossi).
committenza: Impresa Occhetti
eseguito

1965 (ill. 4)
Edificio residenziale Collegno, Torino
Edificio multipiano ad alloggi a destinazione abitativa in via Castagnevizza
(con Studio Gabetti & Isola).
committenza: Impresa Bottoli
eseguito

1966 (ill. 5)
Mobile "Tramezzino"
Concorso internazionale per la progettazione di un mobile plurivalente per la produzione seriale, in laminato melaminico
(con M. Semino).
promotore: M.I.A. Mostra Internazionale Arredamento di Monza / Abet Laminati
produzione: Stildomus
primo premio

1966 (ill. 6)
"Porta attrezzata"
Concorso internazionale per la progettazione di un mobile seriale per il bagno, in laminato melaminico (con G. Drocco).
promotore: M.I.A. Mostra Internazionale Arredamento di Monza / Abet Laminati
primo premio, premio speciale per la presentazione

1966 (ill. 7)
Casa, Celle Ligure, Savona
Edificio in muratura su due piani a destinazione abitativa unifamiliare sulla collina ligure.
committenza: privata
realizzazione: Impresa Bordin
eseguito

1966 (ill. 8)
Complesso residenziale Secondigliano, Napoli
Concorso nazionale per la progettazione di un complesso residenziale ad alloggi di edilizia sovvenzionata
(con G. Ceretti, P. Derossi).
promotore: ISES, Napoli

1967 (ill. 9)
Letti "Talamone"
Innovativa tipologia di letti su ruote, con testiera attrezzata pluriuso e carrelli di servizio. Sono realizzati in legno multistrato rivestito in laminato melaminico.
produzione: Stildomus

1968
XIV Triennale, Milano
Cura e progetto della sezione "Il Giardino", un ambiente dalla ambigua naturalità con ruscelli che scorrono in fodere di pvc e fiori di plastica (con M. Semino).

1968 (ill. 10)
Lampada "Cin-cin"
Lampada da tavolo "minimale" realizzata in sottile tubo metallico ritorto.
prototipo

1968
Mobili "Unigramma Casa"
Sistema seriale a pannelli componibili per la realizzazione di pareti attrezzate per l'abitare
(con A. Franzi).
produzione: Stildomus

1968
Mobili "Unigramma" ufficio
Sistema completo di pannelli componibili per la realizzazione di pareti attrezzate e posti lavoro operativo e direzionale
(con A. Franzi).
produzione: Stildomus

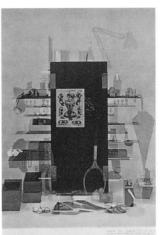

5
6

7

8

9
10

1968
Negozio "Design", Parigi
Ristrutturazione e arredi di un
negozio di Design internazionale
in boulevard St. Germain
(con J. Colombo).
committenza: privata

1968
Nuovo municipio, Novara
Concorso nazionale per la progettazione del nuovo palazzo comunale
(con P. Fabbri, T. Rossi,
V. Valtz Blin).
promotore: Città di Novara
secondo premio

1968
Abitazione
Chiusa S. Michele, Torino
Abitazione unifamiliare e studio
professionale
(con T. Rossi).
committenza: privata
eseguito

1969
Edificio residenziale, Torino
Edificio multipiano ad alloggi in
via Montestelvio
(con T. Rossi).
committenza: Impresa Occhetti
eseguito

1969 (ill 11)
"Mobile 216"
Scaffale per la produzione seriale realizzato in lastra di metacrilato: è il primo mobile italiano in
materiale plastico.
produzione: Kartell

1969
**Mostra "Argenteria genovese
del '600"**
Allestimento della mostra sul-
l'argenteria genovese da tavola a
Palazzo Reale, Genova
(con M. Semino).
promotore: Città di Genova

1970
Abitazione, Sestriere, Torino
Ristrutturazione e arredi di un
alloggio unifamiliare per vacanza nella frazione Borgata.
committenza: privata
eseguito

1970 (ill. 12)
Contenitore "Vacuum panel"
Pannelli seriali "portacose" da
applicarsi a porte e pareti, realizzati in abs sottovuoto.
"Fioriera"
Fioriere componibili realizzate
in abs sottovuoto.
produzione: Elco

1970 (ill. 13)
Expo
Osaka
Concorso nazionale per la progettazione del padiglione italiano
(con S. Jaretti, E. Luzi,
M. Marletti).
progetto segnalato

1970
Stand Elco
Allestimento dello spazio espositivo al Salone del Mobile di
Milano
(con J. Colombo).
produzione: Elco
eseguito

1970
Abitazione
Torino
Ristrutturazione muraria interna
ed arredi di un alloggio a destinazione abitativa unifamiliare in
corso Brescia.
committenza: privata
eseguito

1971/1973 (ill. 14)
Imbottiti "15 Settembre"
Sedute componibili e imbottite
con ritagli di schiumato e rive-
stite in jeans.
produzione: Classis; Gufram

1971 (ill. 15)
Vaso "Lobelia"
Grande vaso/contenitore in vetro
soffiato che recupera la tecnica
dello "stampo rotante".
produzione: Veart

1971 (ill. 16)
Mobili "Convoglio"
Sistema di mobili collegabili e
componibili longitudinalmente
nella successione voluta.
produzione: Colli 2

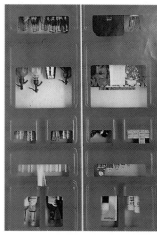

11
12

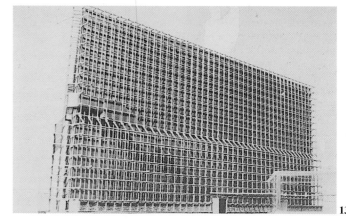

13

14
15

16

1971 (ill. 23)
Copriletti "Dormire"
Copriletto in cotone stampato. Nella collezione permanente del "Victoria & Albert Museum" di Londra.
produzione: Colli 2

1971
Abitazione
Torino
Ristrutturazione e arredi di un alloggio unifamiliare in edificio d'epoca in via Fermo.
committenza: privata
eseguito

1972
Edificio industriale
Sesto San Giovanni, Milano
Edificio industriale per la produzione di apparecchiature elettroniche, laboratori, uffici e spazi di rappresentanza
(con F. Maggia, A. Ferroni).
committenza: Prodel
eseguito

1973 (ill. 19)
"Campus Libri", Torino
Ristrutturazione edilizia interna e arredi di una libreria in piazza Carlo Felice
(con A. Sistri).
committenza: privata
eseguito

1973 (ill. 17)
Lampada "Laser"
Lampada da terra con base in marmo, lampadina alogena orientabile e variatore di intensità luminosa.
produzione: Veart
selezionata alla XV Triennale, Milano

1973
XV Triennale, Milano
Cura della sezione "Una lettura della Città". Immagini di contrapposte (apparenti e reali) letture della città sono stampate sovrapposte nei colori blu e magenta: si svelano con l'uso di visori dai colori complementari
(con P. Castelnovi, A. Magnaghi, P. Maccarrone).
medaglia d'argento

1974 (ill. 18)
Appendiabiti "Gastone"
Appendiabiti in tubolare curvato di acciaio e legno verniciato.
produzione: Linea T

1974 (ill. 21)
Lampada "Alex"
Lampada diversamente posizionabile su un'asta verticale, progettata applicando le teorie sulla "sintesi della forma" di Christopher Alexander.
produzione: Depa

1974 (ill. 24)
Lampade
"Pointer", "Dalmata"
Lampade da tavolo e da terra in vetro soffiato opalino o maculato in pasta.
produzione: VeArt

1974 (ill. 20)
Abitazione
Torino
Ristrutturazione edilizia interna ed arredi di un grande appartamento a destinazione abitativa unifamiliare e di rappresentanza in corso Massimo D'Azeglio.
committenza: privata
realizzazione: Colli 2
eseguito

1974 (ill. 22)
Lampade "Double face"
Sistema seriale di lampade in vetro soffiato "metallinato" e "balloton" utilizzabili sia nella posizione concava sia in quella convessa.
produzione: VeArt

1975
Mobili "Casanova"
Sistemi di mobili con costruzione a cassone in legno verniciato a poro aperto
(con A. Franzi).
produzione: Stildomus

1975
Lampade "Gli Ottavi"
Sistema seriale di lampade ottenute dai differenti assemblaggi di un componente in vetro "opalino" soffiato.
produzione: VeArt

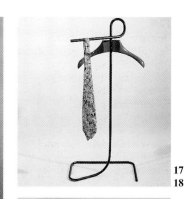

17
18

19
20
21

22
23

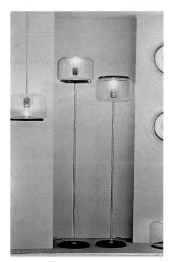

24

1975 (ill. 25)
Abitazione, Sestriere, Torino
Ristrutturazione e arredi di un
alloggio per vacanza.
committenza: privata
eseguito

1975 (ill. 27-28-29)
Tre ristrutturazioni
Valle di Susa, Torino
Ristrutturazione di tre autori-
messe di case unifamiliari ride-
stinate a soggiorno.
committenza: privata
eseguito

1976 (ill. 26)
Abitazione, Avigliana, Torino
Edificio a tre piani abitativo e
studio professionale.
committenza: privata
eseguito

1976 (ill. 30-33)
Residenze universitarie
Torino
Ristrutturazioni e arredi di alcuni alloggi in residenze speri-
mentali per studenti universitari
(con G. Brino, P. Fabbri, G. Raineri).
committenza:
Opera Universitaria
eseguito

1976
Villa Gualino, Torino
Concorso a inviti per la ristrutturazione della grande villa razio-
nalista a destinazione di residenza universitaria
(con G. Brino, P. Fabbri,
G. Raineri).
committenza:
Opera Universitaria
primo premio ex equo

1977 (ill. 31-32)
Mensa studenti e sale studio
Torino
Ristrutturazione edilizia e funzionale di locali destinati a mensa e sale studio per studenti universitari in via B. Galliari
(con G. Brino, P. Fabbri,
G. Raineri).
committenza:
Opera Universitaria
eseguito

25
26

27
28
29

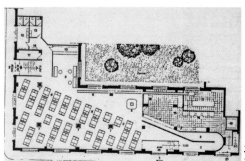

30
31

32
33

224

1977 (ill. 34)
Posacenere "4633", "4634"
Posacenere da tavolo e da terra autoestinguenti: canalizzazioni verticali in melamina accolgono il mozzicone che si spegne per mancanza di ossigeno
(con P. Maccarrone).
produzione: Kartell

1977
Stabilimento Pergine Moncalieri
Edificio per l'imbottigliamento di gas per usi industriali ed annessi edifici per uffici e sorveglianza
(con G. Raineri).
committenza: Pergine
eseguito

1977 (ill. 35)
Oggetti per scrivania
Complementi da scrivania destinati alla grande distribuzione, realizzati in abs sottovuoto
(con M. Chiarloni,
P. Maccarrone).
produzione: Euroways

1977
Arredo alberghiero
Sistema componibile per l'arredo di una cellula alberghiera di prima fascia
(con P. Maccarrone).
produzione: Lema

1977/1987 (ill. 36)
Complementi di arredo
Componenti seriali in espanso verniciato al poliestere, utilizzati per ottenere differenti complementi di arredo
(con P. Maccarrone,
V. Jacomussi).
produzione: Stilnovo; Blu Italia

1978 (ill. 37-38)
Mobili "Flatlandia"
Sistema di mobili in legno laccato generati dal piano orizzontale
(con M. Chiarloni).
produzione: NY Form

1978
Abitazione, Torino
Ristrutturazione muraria interna e arredi di un alloggio a destinazione abitativa unifamiliare in via E. D'Arborea.
committenza: privata
eseguito

1978
Abitazione, Torino
Ristrutturazione muraria interna e arredi di un alloggio a destinazione abitativa unifamiliare in Lungo Po Antonelli
(con P. Maccarrone, S. Celli,
G. Maccarrone).
committenza: privata
eseguito

1978/1998 (ill. 39)
Centro servizi studenti Torino
Ristrutturazione di un vasto seminterrato a Centro servizi e sale studio per studenti universitari in via P. Giuria
(con G. Brino, P. Fabbri,
G. Raineri).
committenza:
Opera Universitaria
Ampliamento e riqualificazione del Centro servizi studenti
committenza: Ente Regionale Diritto allo Studio
eseguiti

1979
Ristrutturazione edilizia Torino
Ristrutturazione muraria e riqualificazione funzionale di un edificio multipiano di fine '800 ad alloggi in via Cosmo.
committenza: privata
eseguito

1979
Abitazione, Pecetto, Torino
Ristrutturazione edilizia interna e arredi di un alloggio a destinazione abitativa unifamiliare.
committenza: privata
eseguito

34
35

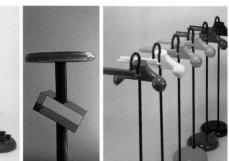

36

37
38

39

1979 (ill. 41-42)
Edificio residenziale
Piazzo, Biella
Edificio su quattro piani a destinazione abitativa unifamiliare e
di rappresentanza, arredi, sistemazione del parco.
committenza: privata
eseguito

1980 (ill. 45)
Imbottiti "Sabatosera"
Sedute imbottite a grandi cuscini
singole o diversamente assem-
blabili e piani di servizio.
produzione: Gufram

1980 (ill. 40)
Cascina in collina, Moncalieri
Ristrutturazione edilizia di un
rustico a destinazione abitativa.
committenza: privata
eseguito

1980
Abitazione, Torino
Ristrutturazione e arredi di un
alloggio unifamiliare nel Villaggio S. Giacomo.
committenza: privata
eseguito

1981
"Barblù", Torino
Arredi ed immagine di un bar /
gelateria in piazza Castello.
committenza: privata
eseguito, oggi sostituito

1981 (ill. 44)
Residenza universitaria
Torino
Ristrutturazione edilizia, definizione funzionale ed arredi di isolato ottocentesco destinato a residenza universitaria e servizi
studenti in via G. Verdi
(con G. Brino, P. Fabbri, G. Raineri)
committenza: Opera Universitaria
eseguito

1981 (ill. 46)
Lampada "Piega"
Lampade da tavolo e da comodi-
no per la produzione seriale, realizzate in fascia di metallo verniciato.
Produzione: Stilnovo

1982
Edificio resedenziale
Rivara Canavese, Torino
Restauro e ristrutturazione di
edificio storico ottocentesco.
committenza: privata
eseguito

1982
Arredo urbano
Torino
Rilievo sistematico degli elementi seriali di Arredo Urbano
presenti nella città
(con E. Bertinetti, E. Moncalvo).
committenza: Città di Torino.

1982 (ill. 43)
Negozio "Sister's"
Biella
Ristrutturazione interna e arredi
di un negozio di abbigliamento.
committenza: privata
eseguito

1983 *
Parco Nazionale
Gran Paradiso
Concorso internazionale per la
progettazione del marchio e delle attrezzature informative
(con M. Chiarloni, C. Germak,
V. Jacomussi, B. Serra).
committenza: Parco Nazionale
Gran Paradiso
realizzazione: Gruppo Bodino
primo premio
eseguito

1983 (ill. 47)
Abitazione, Torino
Ristrutturazione di un alloggio e
arredi metallici, in corso Massimo D'Azeglio.
committenza: privata
eseguito

1983 *
Riorganizzazione funzionale e
arredi Nira, Genova
Ristrutturazione funzionale, layout e arredi per un nuovo edificio in zona preportuale a sede
direzionale ed operativa della
società di progettazione impianti
nucleari.
committenza: Nira
realizzazione: Gruppo Bodino
eseguito

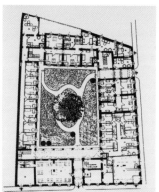

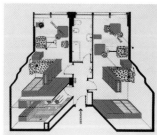

40

41
42
43

44
45

46
47

1984
Scrivanie "Electra"
Sistema seriale di supporti elettrificati in poliuretano espanso per scrivanie operative.
produzione: Siccma

1984 (ill. 48)
Abitazione
San Sicario, Torino
Ristrutturazione interna e arredi di monolocale in montagna.
committenza: privata
eseguito

1984 (ill. 49)
Abitazione, Torino
Ristrutturazione edilizia e arredi di un alloggio in via Ventimiglia.
committenza: privata
eseguito

1984 (ill. 50-51)
Abitazione, Torino
Ristrutturazione e arredi di un alloggio "open space" in via Gorizia.
committenza: privata
eseguito

1985 *
Aule prefabbricate per la Facoltà di Architettura Torino
Progettazione di un sistema sperimentale di aule prefabbricate per la Facoltà di Architettura (con M. Grosso, T. Orecchia).
committenza: Politecnico di Torino.
realizzazione: Secco
eseguito

1985 (ill. 52-54)
Edificio resedenziale
Torino
Ristrutturazione, restauro e arredi di un edificio a due piani inizio secolo in via Castelnuovo.
committenza: privata
eseguito

1985 (ill. 53)
Sistema per l'Arredo Urbano
Sistema completo di attrezzature singole e componibili per la città, in estruso di alluminio (con Giugiaro Design).
produzione: Alumix

1985
Abitazione, Biella
Ristrutturazione e arredi di un alloggio unifamiliare in Galleria.
committenza: privata
eseguito

1986 *
Parc de La Villette
Parigi
Concorso ad inviti per la progettazione del "mobilier urbain du Parc de La Villette" (con Giugiaro Design).
committenza: Etablissement Public du Parc de La Villette.
secondo classificato

1986 *
Cabina telefonica
Progetto per una cabina telefonica pubblica singola o multipla in estruso di alluminio (con Giugiaro Design).
committenza: SIP
prototipo

1986 (ill. 55)
Sistema fermate mezzi pubblici
Roma
Concorso appalto per il sistema delle fermate dei trasporti pubblici della città di Roma.
committenza: Coop. CMC Ravenna

1986
Uffici Ansaldo, Genova
Ristrutturazione interna, lay-out ed arredi della sede direzionale.
committenza: Ansaldo
eseguito

1987
Abitazione, Genova
Ristrutturazione e arredi di un alloggio in via Nino Bixio.
committenza: privata
eseguito

1987
Villa Boschetto
Fegino, Genova
Ristrutturazione e restauro degli interni dell'edificio cinquecentesco per la nuova destinazione ad archivio storico.
committenza: Ansaldo
eseguito

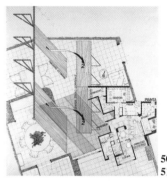

48
49

50
51

52
53

54
55

1987 *
Piano delle affissioni
L'Aquila
Concorso appalto per il Piano e Sistema delle affissioni ed informazioni per la città.
committenza: Città de L'Aquila / Gappa
piano adottato

1987 *
Area Dora
Torino
Proposta di recupero delle aree dismesse intorno al fiume Dora, partecipazione alla mostra "Nove progetti per nove città"
(con S. Vitagliani).
Triennale di Milano

1987 *
Piano dell'illuminazione
Chioggia, Venezia
Concorso appalto per il Piano della Illuminazione pubblica.
committenza: Città di Chioggia / Cooperativa Costruttori Ferrara
concorso non espletato

1988 *
Riqualificazione polo Ansaldo
Genova Sampierdarena
Progetto di fattibilità della ridestinazione funzionale ed ambientale delle aree siderurgiche a nuovo mix urbano e nuova sede operativa della società.
committenza: Ansaldo

1988
Foresteria
Torino
Ristrutturazione edilizia interna ed arredi di un alloggio foresteria in via Cesare Battisti.
committenza:
La Fondiaria Assicurazioni
eseguito

1988
Ristrutturazione, Torino
Ristrutturazione di parte di immobile a destinazione abitativa in via Cesare Battisti.
committenza:
La Fondiaria Assicurazioni
eseguito

1988   (ill. 56)
Protezioni pedonali
Sistema di protezioni pedonali industrializzate per linee di mezzi pubblici, realizzate in grigliato elettrofuso.
committenza: Orsogril
prototipo

1988
Dipartimento di Psicologia
Torino
Ristrutturazione di un piano di edificio storico a sede dipartimentale.
committenza:
Università degli Studi di Torino
eseguito

1988
Castello del Valentino
Torino
Lay-out, impianti ed arredi della Presidenza della Facoltà di Architettura
(con G. F. Cavaglià).
committenza:
Politecnico di Torino
eseguito

1988   (ill. 57-58)
Mostra
"Genova città del ferro"
Cura ed allestimento della sezione "Arredo Urbano" per la manifestazione alla Fiera di Genova.
committenza: Città di Genova

1989 *
Parco tecnologico
Genova Campi
Progetto di fattibilità per la conversione funzionale ed ambientale delle aree siderurgiche dismesse della Val Polcevera in nuovo polo tecnologico.
committenza: Italsider

1989
Centro di calcolo Ansaldo
Genova Cornigliano
Ristrutturazione di edificio industriale a nuova destinazione di Centro operativo di calcolo.
committenza: Ansaldo.
eseguito

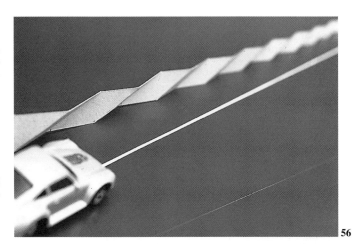

56

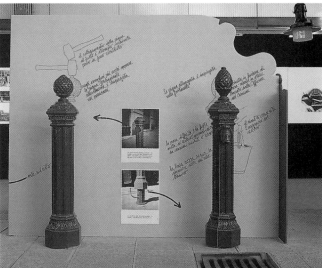

57

58

1989 *
Cestino "Sabaudo"
Cestino gettarifiuti da 110 litri.
committenza: Alumix
produzione: Aluhabitat-TLF

1989/1995
Ristrutturazioni, Torino
Ristrutturazioni di alloggi e negozi nel centro storico.
committenza:
La Fondiaria Assicurazioni.
eseguiti

1989 *
Piano dell'Arredo Urbano
Fossano, Cuneo
Piano dell'Arredo Urbano, dell'Immagine Urbana e del Colore del centro storico
(con C. Marra, R. Martinelli, S. Rattalino).
committenza: Città di Fossano
adottato

1989 *
Workshop Arredo Urbano
Torino
Corsi di qualificazione per operatori del settore A.U.
committenza: Città di Torino /
Società degli Ingegneri e degli Architetti in Torino

1989/1992 *
Piano di recupero
Santo Stefano di Sessanio,
L'Aquila
Progetto di fattibilità della riqualificazione ambientale e valorizzazione turistica del centro storico.
committenza: In Sud, Roma;
Borini Costruzioni.
Casa del Capitano,
Santo Stefano di Sessanio
Restauro e riqualificazione edilizia con destinazione ricettiva.
committenza: Borini Costruzioni

1989 (ill. 61)
Abitazione, Torino
Ristrutturazione edilizia di alloggio d'epoca a destinazione abitativa unifamiliare ed arredi in corso Casale (con C. Gatti).
committenza: privata.
allestimenti: Gruppo Bodino.
eseguito

1989 (ill. 59-60)
Piano di Arredo Urbano
Crescentino, Vercelli
Piano dell'Arredo e della Immagine Urbana della città.
committenza:
Città di Crescentino

1989 *
Uffici Ilva, Genova
Restauro, ristrutturazione edilizia ed impiantistica dell'edificio di via Ilva, sede storica della società; arredi spazi di rappresentanza e uffici.
committenza: Ilva
allestimenti: Gruppo Bodino
eseguito

1989
Abitazione, Caselle
Ristrutturazione edilizia e arredi di edificio industriale.
committenza: privata
eseguito

1989
Foresteria, Roma
Arredamento di alloggio per foresteria in via Villa Grazioli.
committenza: Ilva
eseguito

1989 (ill. 62)
Sedili per auto
Ricerca progettuale per la definizione di un innovativo sistema di sedili per auto.
committenza: Sicam
progetto adottato

1989 *
Piano di sviluppo turistico
Sardegna
Individuazione di aree a possibile sviluppo turistico e studio delle loro potenzialità.
committenza: Borini Costruzioni

1990 *
Via Po, Piazza Vittorio Veneto,
Gran Madre
Torino
Piano per la riqualificazione funzionale ed ambientale e arredo urbano dell'asse storico
(con A. Job, C. Ronchetta).
committenza: Città di Torino
adottato

59
60

61

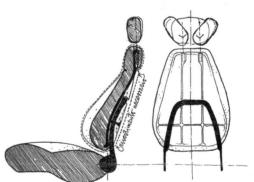

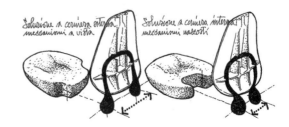

62

1990   (ill. 63-64-65)
Edificio residenziale
Fontanetto Po, Vercelli
Restauro, ristrutturazione edilizia e arredi di edificio inizio secolo a destinazione abitativa e studio professionale ed arredi.
committenza: privata
eseguito

1990 *
Seduta "Lestrusa"
Seduta collettiva continua per zone pubbliche, realizzata con l'assemblaggio (sistema brevettato) di estrusi in alluminio a grande sezione.
committenza: Alumix
produzione: Aluhabitat-TLF
premio nazionale In-Arch 1989
"Componenti industrializzati"

1990 *
Fermate ATM, Torino
Sistema delle fermate mezzi pubblici per la Città di Torino.
committenza: ATM, Torino
realizzazione: Aluhabitat TLF

1990 *
Piano dell'Arredo Urbano
Borgosesia, Vercelli
1990 - 1ª fase
Ricerche nell'ambito della Convenzione fra la Città di Borgosesia e il Politecnico di Torino (con V. Comoli).
1991 - 2ª fase
Definizione della scena urbana e dell'AU, della Città e frazioni.
committenza:
Città di Borgosesia
piano adottato

1990
Uffici Dalmine
Dalmine, Bergamo
Progetto di risistemazione uffici e laboratori e dell'immagine dello stabilimento.
committenza: Dalmine

1990
Centro ricreativo
Piombino, Livorno
Risistemazione del centro ricreativo e del teatro sociale.
committenza: Ilva
eseguito

1990 *
Supporto pubblicitario
"Quadrosfera"
Supporto per affissioni pubblicitarie destinato ai viali urbani, in estruso di alluminio.
committenza: Publifloor

1990   (ill. 66)
Ansaldo Sistemi Industriali
Genova Cornigliano
Ristrutturazione edilizia interna e arredi degli uffici direzionali.
committenza: Ansaldo
eseguito

1990
Uffici Ansaldo
Genova
Ristrutturazione edilizia interna e arredi degli uffici direzionali in piazza Carignano.
committenza: Ansaldo
eseguito

1990
Uffici Ilva
Roma
Ristrutturazione edilizia interna e arredi degli uffici nell'edificio in viale Castro Pretorio.
committenza: Ilva
allestimenti: Gruppo Bodino
eseguito

1990
Stabilimento SKF
Pinerolo, Torino
Progetto della riqualificazione dello stabilimento industriale.
committenza: SKF

1990
Abitazione
Borgaretto, Torino
Ristrutturazione e arredi di appartamento con giardino in via Galileo Galilei.
committenza: privata
eseguito

1990
Centro ricerche, Roma
Riqualificazione degli uffici e laboratori del "Centro ricerche materiali" di Castel Romano.
committenza:
CSM Centro Studi Materiali
eseguito

63
64

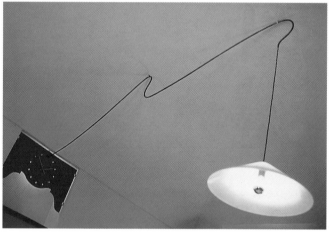

65

66

1990 *
Casa laboratorio
Fontanetto Po, Vercelli
Edificio unifamiliare nel centro
storico con annesso laboratorio.
committenza: privata
eseguito

1991
Masseria La Vaccarella
Taranto
Progetto di risistemazione edilizia di una vecchia masseria a
nuova destinazione di foresteria.
committenza: Ilva
eseguito

1991   (ill. 67)
Uffici Ilva, Taranto
Sistemazioni edilizie degli ac-
cessi e della palazzina uffici del
polo siderurgico.
committenza: Ilva
eseguito

1991
Sedute per l'Arredo Urbano
Sistema di sedute per l'Arredo
Urbano in lamiera forata.
committenza: DIP
prototipo

1991
Ottica "La Chouette"
Genova
Ristrutturazione e arredi negozio
di ottica a piazza Albaro.
committenza: privata
allestimenti: Siccma
eseguito

1991 *
Villa Brignole
Genova Campi
Restauro e recupero della cin-
quecentesca villa a sede direzionale e centro convegni.
committenza: Ilva
allestimenti: Gruppo Bodino
eseguito

1991
Negozio di calzature
Biella
Ristrutturazione e arredi di un
negozio di calzature "Renzo
Ronco dal 1909".
committenza: privata
eseguito

1991
Uffici Ilva
Novi Ligure, Alessandria
Progetto della risistemazione
edilizia e lay-out degli uffici del
polo siderurgico.
committenza: Ilva

1991
Uffici Ilva, Milano
Ristrutturazione interna e arredi
degli uffici della sede di piazza
Velasca.
committenza: Ilva
allestimenti: Gruppo Bodino
eseguito

1991
Sala matrimoni, Torino
Progetto della sistemazione e degli arredi dei locali destinati alla
celebrazione dei matrimoni civi-
li nell'ottocentesco ex "Ospedale dei pazzerelli".
committenza: Città di Torino

1992   (ill. 68-69-70-71)
Ex Villa Rivetti, Biella
Ristrutturazione e arredi di parte
della grande eclettica residenza
costruita negli anni venti.
committenza: privata
eseguito

1992   (ill. 72-73)
Abitazione
Casale Monferrato, Alessandria
Ristrutturazione interna e arredi
di appartamento in via Leonardo
Da Vinci.
committenza: privata
eseguito

1992
Show room a Pitti Filati
Firenze
committenza:
Zegna Baruffa Lane Borgosesia
allestimenti: Studio MS
eseguito

1992
Abitazione
Cervinia, Aosta
Ristrutturazione e arredi di appartamento nel complesso Bud-
den.
committenza: privata
eseguito

67

68
69

70
71

72
73

1992
Farmacia
Torino
Ristrutturazione e arredi di farmacia in corso San Maurizio.
committenza: privata
eseguito

1992 *
Piano dell'Arredo Urbano
Venezia Mestre
Piano dell'Arredo Urbano e riqualificazione dell'immagine urbana della città di Mestre.
committenza: Città di Venezia
adottato

1992   (ill. 74)
Vaso "The nel deserto"
Vaso in vetro di Murano stampato, riferito al bicchiere del the alla menta magrebino.
produzione:
Cedenese & Albertarelli

1992   (ill. 75)
"Mobile Quadro"
Scaffalatura / libreria da parete presentata alla sezione "Mobili con gli amici" coordinata da R. Gabetti alla mostra "Abitare il tempo", Fiera di Verona.
produzione: Mobil Art

1993 *
Villa Durazzo Bombrini
Genova Cornigliano
Restauro e recupero funzionale della settecentesca villa a sede di uffici direzionali.
committenza: Ilva
realizzazione:
Impresa Parodi & Derege
eseguito

1993
Edificio residenziale
Biella
Edificio multipiano unifamiliare e arredi sulla collina.
committenza: privata
eseguito

1993   (ill. 78-79)
Abitazione, Torino
Ristrutturazione e arredi di appartamento in corso Siracusa.
committenza: privata
eseguito

1993
Tre negozi
Torino
Ristrutturazioni in edificio d'epoca nel centro storico.
committenza:
Milano Assicurazioni
eseguiti

1993   (ill. 80)
Riqualificazione ed edificazione
Tolosa, Francia
Consultation de composition urbaine sur le quartier de Vitry.
committenza:
Mairie de Toulouse.

1993 *
Paline per fermata mezzi pubblici, Torino
In estruso di alluminio con pannello pubblicitario luminoso e informazione elettronica.
committenza:
Atm Trasporti Torinesi
produzione: Gruppo Bodino

1993   (ill. 76-77)
Abitazione, Torino
Ristrutturazione e arredi di appartamento in via Baltimora.
committenza: privata
eseguito

1993
Uffici Sceta, Parigi
Ristrutturazione e lay-out degli uffici direzionali ed operativi.
committenza: Sceta, Parigi

1994 *
Zona Barche
Venezia Mestre
Ridestinazione ambientale e funzionale della zona "Barche".
committenza: Città di Venezia / Coin Grandi Magazzini
parzialmente eseguito

1994
Aula Magna dell'Università
Torino
Restauro e riqualificazione dell'Aula Magna e dell'Aula del Consiglio dell'Università Studi.
committenza:
Università Studi di Torino
realizzazione: APC
eseguito

74
75

76
77

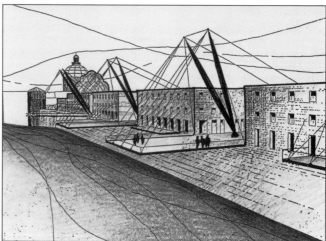

78
79

80

1994
Abitazione, Torino
Ristrutturazione di alloggio d'epoca in via Vittorio Amedeo.
committenza: privata
eseguito

1994 (ill. 82)
G. De Ferrari, V. Jacomussi, C. Germak, O. Laurini
Il Piano Arredo Urbano
Edizioni Carocci La Nuova Italia Scientifica, Roma

1995 *
Centro residenziale
Mosca
Studio di fattibilità e progetto di massima per un centro residenziale.
committenza: privata

1995 (ill. 81)
Ristorante "Il cantuccio"
Torino
Ristrutturazione e arredi di un ristorante in corso Sommellier.
committenza: privata
eseguito

1995 *
Sedute "Filarmonica"
Sistema di sedute per sale spettacolo e conferenze.
produzione: Gufram

1995
Abitazione, Torino
Ristrutturazione e arredi di appartamento in piazza San Gabriele da Gorizia.
committenza: privata
eseguito

1995
Abitazione
Fontanetto Po, Vercelli
Ristrutturazione e arredi di appartamento in viale Stazione.
committenza: privata
eseguito

1995
Abitazione, Torino
Ristrutturazione e arredi di appartamento in corso Matteotti.
committenza: privata
eseguito

1995/2000 (ill. 83-84-85-86)
Mostra "Torino Design", dall'automobile al cucchiaio
Cura della mostra e progetto dell'allestimento per le edizioni:
1995:Museo dell'Automobile, Torino;
1996: Design Center, Stoccarda;
1997: Centro Fiere RAI, Amsterdam;
1997: Museum Science and Industries, Chicago;
1998: Handloom pavillion, New Delhi;
2000: Ozono Space, Tokyo.
promotori: Società degli Ingegneri e degli Architetti in Torino, Regione Piemonte, Città di Torino, CCIAA Torino
allestimenti: Gruppo Bodino
eseguito

1996 (ill. 87)
Negozio di idraulica
Crescentino, Vercelli
Ristrutturazione e arredo espositivo.
committenza: privata
eseguito

1996
Studio professionale
Torino
Ristrutturazione edilizia interna e arredi di uno studio notarile in edificio d'epoca in corso Vittorio Emanuele (con C. Gatti).
committenza: privata
eseguito.

1996 *
Divano telefonico
Posto telefonico pubblico per sale attesa e spazi collettivi.
committenza: Telecom

1996 *
Area Università / Mole Antonelliana
Torino
Piano di riqualificazione dell'area fra la Mole Antonelliana e il Palazzo Nuovo, sede delle facoltà umanistiche.
committenza: Città di Torino
realizzazione:
Impresa CO.VE.CO.
eseguito

81

82
83
84

85
86

87

1996
Stand espositivo
Stand fieristico modulare e flessibile, stoccabile in un volume contenuto.
committenza: Lamicolor
allestimenti: Euro Fiere
eseguito

1996   (ill. 88-89)
Villino storico, Torino
Ristrutturazione e arredi di villino inizio secolo in via Cardinal Maurizio
(con C. Gatti).
committenza: privata
eseguito

1996 *
**Centro Commerciale
"Le Barche", Venezia Mestre**
Ristrutturazione edilizia e funzionale del magazzino Coin in centro commerciale plurimarca; riqualificazione ambientale e arredo dello spazio pubblico circostante.
committenza:
Coin Grandi Magazzini
realizzazione: Gruppo Bodino
eseguito

1997
**Residenza per studenti
Torino**
Attrezzature e arredi per la residenza universitaria in via Cercenasco.
committenza: Ente Regionale Diritto allo Studio
allestimenti: Ascam Design
eseguito

1997
**Negozio di abbigliamento
Crescentino, Vercelli**
Ristrutturazione e allestimento interno
(con C. Gatti).
committenza: privata
eseguito

1997
Studio dentistico, Torino
Arredi ed attrezzature per studio dentistico in edificio d'epoca in via S. Quintino.
committenza: privata
eseguito

1997   (ill. 90-91)
**"Bianco, rosso, verdicchio"
"La cantina di Marcel"**
Poster per il premio "Titulus", per celebrare la bottiglia del vino "verdicchio".
promotore: Fazi Battaglia

1997 *
**Parco nell'area ex OM
Milano**
Riqualificazione e rifunzionalizzazione dell'area ex OM con destinazione parco pubblico attrezzato a scala urbana e di quartiere (con Onne, Versailles; PLG, Milano).
committenza: Città di Milano

1997 *
**Piazzale Valdo Fusi
Torino**
Concorso nazionale per la progettazione preliminare della copertura del parcheggio interrato (con C. Quaranta).
committenza:
Città di Torino / Atm Torino
progetto segnalato

1997/1998   (ill. 92-93)
**Mostra
"Disegnare l'Artigianato"**
Progetto dell'allestimento della Mostra sull'artigianato della Regione Piemonte per le edizioni:
1997: Biblioteca Nazionale di Torino;
1998: Lingotto Fiere, Torino;
1998: Design Center, Stoccarda;
1998: S. Francisco de Cordoba (Argentina).
committenza: CCIAA Torino
realizzazione: Gruppo Bodino

1997 *
**Riqualificazione
San Mauro, Torino**
Concorso nazionale di idee per la riqualificazione ambientale e urbanistica della zona Pragranda; nuovo quartiere polifunzionale e parco pubblico (con C. Bongiovanni, C. Quaranta).
committenza:
Città di San Mauro
secondo classificato

88
89

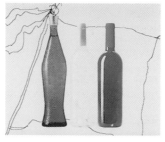

90
91

92

93

234

1997 *
Piazza Carafa
Grammichele, Catania
Concorso nazionale per la ridefi-
nizione architettonica di piazza
Carlo Maria Carafa
(con V. Battaglia, S. Pellitteri,
F. Roccella).
committenza:
Città di Grammichele

1998 **
Parco pubblico
area Venchi Unica
Torino
Progetto degli spazi pubblici e
parco nel nuovo complesso residenziale.
committenza:
Consorzio Venchi Unica
realizzazione:
Consorzio Venchi Unica
eseguito

1998 **
Orto Botanico al Castello del
Valentino, Torino
Restauro di edificio rustico per
aule e laboratori del Dipartimento di Biologia Vegetale.
committenza:
Università degli Studi di Torino
realizzazione: Impresa Atip
eseguito

1998 **
Piazza Pertinace
Alba, Cuneo
Progetto di riqualificazione dello
spazio pubblico e design delle
attrezzature di arredo.
committenza: Città di Alba
realizzazione: Impresa Barberis
eseguito

1998
Supporto affissioni
Sistema di affissioni pubblicitarie e istituzionali.
committenza: Avenir

1998   (foto 95)
Stand a Pitti Filati, Firenze
Stand e show room della produzione per la rassegna Pitti Filati.
committenza:
Zegna Baruffa Lane Borgosesia
allestimenti: Studio MS
eseguito

1998 **
Dacia, Mosca
Ristrutturazione edilizia, ampliamento e arredi di una dacia e e
relativo giardino.
committenza: privata
realizzazione: Gruppo Bodino

1998   (ill. 97-98)
Parcheggio
Torino
Strutture per le imboccature,
veicolari e pedonali su suolo
pubblico di parcheggi pertinenziali interrati.
committenza:
Borini Costruzioni
eseguito

1998   (ill. 99)
Accessori per bagno
Accessori per bagno con supporto adesivizzato, in resina termo-
plastica stampata ad iniezione.
produzione: Carrara & Matta

1998
Design Center
Progetto di fattibilità di struttura
a supporto al settore Design industriale regionale e sua configurazione
(con F. Comoglio, R. Piatti).
committenza:
Società degli Ingegneri e Architetti / CCIAA Torino.

1998
Abitazione
Torino
Ristrutturazione di appartamento
in edificio d'epoca in zona pre-
collinare, via Bezzecca
(con C. Gatti).
committenza: privata
eseguito

1998 **
Centro Servizi Studenti
Grugliasco, Torino
Ristrutturazione e adeguamento
funzionale del Centro Servizi
Studenti della Facoltà di Agraria
e Veterinaria.
committenza:
Università degli Studi di Torino
realizzazione: Impresa Edilcem
eseguito

96

94
95

97
98

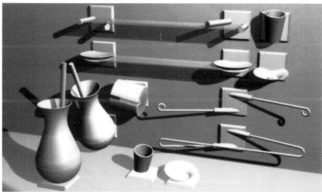

99

1998 **
Viale Piemonte
Saint Vincent, Aosta
Riqualificazione dello spazio pubblico e design delle attrezzature di arredo per il viale antistante il Casino della Vallee (con M. Maresca, O. Peaquin).
committenza:
Comune di Saint Vincent.
realizzazione:
Impresa Costruzioni Piemonte
eseguito

1998
Edificio residenziale
Ventimiglia, Imperia
Ristrutturazione edilizia e allestimento degli interni di residenza per vacanze in località La Mortola (con C. Gatti).
committenza: privata
realizzazione: Impresa Maciotta
allestimento: Gruppo Bodino.
eseguito

1998/2006 ***
Area ex-Remmert
Ciriè, Torino
Recupero urbanistico ed edilizio dell'area industriale ex Remmert con restauro conservativo e rifunzionalizzazione del complesso industriale liberty progettato da Pietro Fenoglio.
1998/2000
1°, 2° lotto. Nuovo centro residenziale/terziario.
3° lotto. Sede del tribunale di Ciriè.
committenza: Ciriè 2000
realizzazione:
Impresa Borini Costruzioni
eseguiti
2002   (ill. 101, 102)
Riqualificazione a parco pubblico dei terreni agricoli della Villa Remmert.
committenza: Città di Ciriè
realizzazione: Impresa Edil Ma.Vi.
eseguito
2006
4° lotto.
Centro residenziale /terziario.
committenza:
Impresa Obert Costruzioni
realizzazione:
Impresa Obert Costruzioni
in esecuzione

1998
Abitazione, Sestrière, Torino
Ristrutturazione e allestimento interno di appartamento in montagna
(con C. Gatti).
committenza: privata
realizzazione: Impresa Catalano
allestimento: Di Mauro
eseguito

1998
Arredo Urbano, Alba, Cuneo
Piano per la riqualificazione e arredo dello spazio pubblico nel centro storico.
committenza: Città di Alba
eseguito

1998
Villa a Ventimiglia, Imperia
Restauro conservativo ed allestimento degli interni di villino ottocentesco
(con C. Gatti).
committenza: privata
realizzazione: Impresa Carnino
allestimento:
Falegnameria Elleci
eseguito

1999
Abitazione, Ciriè, Torino
Allestimento degli interni di appartamento nel nuovo complesso residenziale Ciriè 2000
(con C. Gatti).
committenza: privata
realizzazione:
Impresa Borini Costruzioni
eseguito

1999
Gioielleria, Iesolo, Venezia
Allestimento degli interni di negozio gioielleria.
committenza: privata
eseguito

1999
Stabilimento Zegna Baruffa Lane Borgosesia
Vallemosso, Biella
Nuova hall e reception
committenza:
Zegna Baruffa Lane Borgosesia
allestimento:
Falegnameria Gardiman
eseguito

100

101
102

103

104
105

1999 *
Mostra Carrozzieri Italiani
Torino
Progetto dell'allestimento in occasione del Centenario FIAT nelle piazze Carignano e Carlo Alberto di Torino.
committenza:
Gruppo Carrozzieri - Anfia.
allestimento: Mostrefiere
eseguito

1999 *
Mostra itinerante
"Designing Craft Europe"
Progetto dell'allestimento per le edizioni:
1999: Promotrice Arti, Torino
2000: Clermont L'Herault
2001: Helsinki
2001: Alessandria
2001: Barcellona.
committenza:
Union Camere Piemonte
allestimento: Gruppo Bodino.

1999 *
Decanter
Decanter per vini rossi realizzato in occasione della mostra "Segnali di cibo".

2000 *
Accessori bagno
"Linea nOvo"
Progetto di linea accessori bagno in polipropilene.
committenza: Saturno Casa
produzione: Saturno Casa.

2000
Abitazione
Moncalieri, Torino
Ristrutturazione edilizia di appartamento in edificio storico.
committenza: privata
eseguito

2000 *
Mercato coperto
Piazza Madama Cristina
Torino
Consulenza architettonica al progetto e progetto dell'immagine grafica.
committenza: Città di Torino
realizzazione:
CMC Ravenna
eseguito

2000 (ill. 107)
Studio medico, Torino
Ristrutturazione, restauro e allestimento degli interni in palazzo nobiliare ottocentesco
(con C. Gatti)..
committenza: privata
eseguito

2000 *
Linea tramviaria 4, Torino
Convenzione tra DIPRA Dipartimento di progettazione architettonica Politecnico di Torino e GTT Gruppo Trasporti Torinese per l'immagine della nuova linea tramviaria:
- Analisi storico ambientale
(C. Ronchetta, M. Tisi)
- Progetto ambientale
(G. De Ferrari, C. Germak)

2000 (ill. 108-109-110)
Mostra "Aldo Bartolomeo e la Stildomus"
Cura della mostra e progetto dell'allestimento.
Roma, Casa Idea
committenza: Stildomus
allestimento: Stildomus

2000 *
"Expo Missio 2000"
Grande Giubileo, Roma
Cura della mostra e progetto dell'allestimento
(con C. De Giorgi).
committenza:
Comitato Centrale Giubileo
allestimento: Gruppo Bodino
eseguito

2000 *
Parcheggio multipiano
Moncalieri, Torino
Concorso appalto per edificio e piazza integrati in area storica centrale.
committenza:
Impresa Borini Costruzioni

2000 *
Piazza San Francesco
Venezia Mestre
Riqualificazione dello spazio pubblico e progetto per il nuovo padiglione mercatale.
committenza: Città di Mestre
eseguito

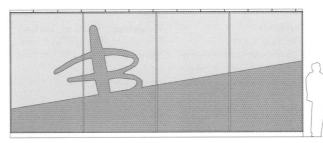

106

107
108

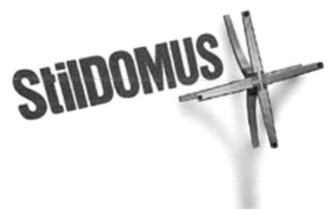

109

110

2000 *
Piazza Donatori di sangue
Venezia Mestre
Riqualificazione dello spazio pubblico e design delle attrezzature di arredo.
committenza: Città di Mestre
eseguito

2001 (ill. 111-112-113)
Museo della Meccanica
e del Cuscinetto a sfere
Villar Perosa, Torino
Interventi di miglioramento ed ampliamento del Museo e dei percorsi di visita ai rifugi antiaerei e al villaggio operaio (con C. De Giorgi).
Committenza: Comunità montana Val Chisone e Germanasca
eseguito

2001 * (ill. 114-115)
"Scopriminiera"
Prali, Torino
1999/2001 - 2ª fase.
Valorizzazione del complesso con la messa in sicurezza dei percorsi esterni e di collegamento alle gallerie, nuovi allestimenti di aree funzionali e punti di ristoro
(con C. De Giorgi, S. Rigatelli, M. Sassone)
committenza: Comunità Montana delle Valli Chisone e Germanasca
realizzazione: Impresa Negroni
eseguito

2001
Edificio residenziale
Rivarolo Canavese, Torino
Ristrutturazione e restauro conservativo di palazzina liberty (con C. Gatti).
committenza: privata
realizzazione: Impresa Sandretto
eseguito

2001
Agenzia del legno
Valle Varaita, Brossasco
Allestimento dello show room per le "nuove linee di arredo Valle Varaita".
committenza:
Agenzia del legno Valle Varaita
eseguito

2001 (ill. 116-117-118)
Edificio residenziale
Moncalieri, Torino
Ristrutturazione e allestimento degli interni di villino anni '70, sulla collina torinese (con C. Gatti).
committenza: privata
realizzazione: Impresa APC, Falegnameria Miserere
eseguito

2001 *
Parco e spazio pubblico in
area ex-acciaierie Ferrero
Settimo, Torino
Progetto di parco urbano e dello spazio pubblico per il nuovo complesso residenziale/commerciale.
committenza: Impresa Rosso
realizzazione: Impresa Rosso
esecuzione in corso

2001/2006 *
Ospedale Evangelico Valdese
Torino
2001
Recupero di edificio ex Artigianelli a nuovi reparti di degenza in via Berthollet 34
(DL: R. Renacco).
committenza:
Ospedale Evangelico Valdese
realizzazione:
Impresa Borini Costruzioni
eseguito
2001 *
Recupero di edificio storico a centro diagnostico e laboratorio analisi in via Silvio Pellico 28.
committenza:
Ospedale Evangelico Valdese
realizzazione:
Impresa Borini Costruzioni
eseguito
2006
Ristrutturazione sede centrale dell'ospedale in via Silvio Pellico 19.
committenza:
Ospedale Evangelico Valdese
progettazione in corso

2001
Abitazione, Torino
Ristrutturazione e arredo degli interni di appartamento.
committenza: privata
realizzazione: APC
eseguito

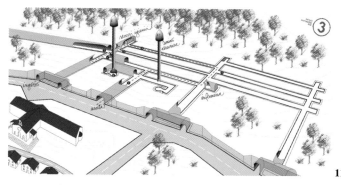

111

112
113

114
115

116
117
118

2001 **
Aeroporto Sandro Pertini
Caselle, Torino
Concorso ad inviti per l'ampliamento della zona partenze, l'allestimento degli interni dell'area
arrivi, area check in e spazi
commerciali.
committenza: Sagat

2001
Edificio storico
Ventimiglia, Imperia
Restauro degli affreschi per la
facciata di palazzo settecentesco
nel centro storico
(con C. Gatti).
committenza: privata
realizzazione: Impresa Cancemi
eseguito

2001   (ill. 119-120)
Casa di montagna
Ala di Stura, Torino
Ristrutturazione e allestimento
degli interni di villino anni '30 e
relativa foresteria
(con C. Gatti).
committenza: privata
realizzazione: Impresa Turinetti
eseguito

2001   (ill. 121-122-123)
Mostra "Il mobile alpino in
Valle Varaita"
Progetto dell'allestimento della
mostra inerente la presentazione
delle "nuove linee di arredo Valle Varaita" progettate dal Politecnico di Torino, Dipartimento
di progettazione architettonica.
Abitare il Tempo 2001, Verona
committenza:
Comunità Montana Valle Varaita
allestimento: Abitare il Tempo

2001 **
Piano dell'Arredo e Immagine
urbana, Ciampino, Roma
Riqualificazione dell'immagine
spazio pubblico (porte città,
piazze, vie, parcheggi) e progetto dei principali sistemi di arredo urbano (pavimentazioni, illuminazione, attrezzature sosta,
verde, comunicazione urbana).
committenza: Città di Ciampino
piano adottato

2002 **   (ill. 124-125)
Centro polifunzionale
"I due fiumi", Cosenza
Progetto di edificio polifunzionale con destinazione a centro
commerciale / uffici e allestimento dei relativi spazi pubblici
interni ed esterni.
Costruito nell'area ex ferrovia, a
margine del centro storico.
committenza:
Impresa Borini Costruzioni
realizzazione:
Impresa Borini Costruzioni
eseguito

2002 **
Ponte sollevabile sul fiume
Dora, Torino
Ponte pedonale, ciclabile e car-
rabile sul fiume Dora, sollevabile idraulicamente
(con F. Ossola).
committenza: Città di Torino
realizzazione: Impresa SACAIM
eseguito

2002 **   (ill. 126)
A.S.A.
Azienda Servizi Ambiente
Castellamonte, Torino
Progetto di Polo ecologico per la
raccolta differenziata e trattamento dei rifiuti solidi provenienti dall'area regionale del Canavese.
committenza:
Consorzio A.S.A.
Azienda Servizi Ambiente
realizzazione: Impresa Locatelli
eseguito

2002 **
Ospedale Gradenigo, Torino
2001
Studio di fattibilità per la rifunzionalizzazione complessiva e
adeguamento alle nuove disposi-
zioni normative dell'attuale Presidio Sanitario.
committenza:
Presidio Sanitario Gradenigo
2002
Progetto di ampliamento delle
dotazioni del Presidio Sanitario
con nuovi reparti di degenza in
via Ricasoli.
committenza:
Presidio Sanitario Gradenigo

119
120

121
122

123

124
125

126

239

2002 (ill. 127-128)
**Fermate di corso S. Martino
Torino**
Aggiornamento del sistema di
fermate e della grafica di segna-
lazione/comunicazione.
committenza: GTT
Gruppo Torinese Trasporti
eseguito

2002 (ill. 129-130)
**Veranda in villa
Torino**
Riqualificazione in villa liberty
sulla collina torinese
(con C. Gatti).
committenza: privata
eseguito

2002 (ill. 131)
Uffici direzionali 5T, Torino
Allestimento degli interni e progetto dell'immagine coordinata.
committenza: 5T
realizzazione: Gruppo Bodino
eseguito

2003/2006 *
**Ambrosetti Autologistics
Moncalieri, Torino**
2003 - Ristrutturazione di edificio industriale e allestimento degli interni sede aziendale
(con C. Gatti).
committenza:
Ambrosetti Autologistics
realizzazione: Impresa Rosso
allestimento: Gruppo Fantoni,
Interprogetti, Stramandinoli
eseguito
2006 - Completamento uffici nel
piano interrato
(con C. Gatti).
committenza:
Ambrosetti Autologistics
realizzazione:
Impresa Piana Costruzioni
allestimento: Interprogetti
eseguito

2003 *
**Riqualificazione
del Corso Francia, Torino**
Regia progettuale per la riqualificazione ambientale del corso e
delle piazze Bernini, Rivoli,
Massaua.
committenza: Città di Torino
in corso di esecuzione

2003 * (ill. 132-133)
Stadio del ghiaccio, Torino
Nuovo impianto olimpico del
ghiaccio ad uso pubblico, in corso Tazzoli
(con Studio Lee, Studio Lucchin).
committenza:
Agenzia Torino 2006
realizzazione:
raggruppamento di imprese
(ITER, Cooperativa Cellini)
eseguito

2003 * (ill. 134-136)
**Stadio del ghiaccio/pista di al-
lenamento, Torino**
Consulenza per il progetto della
pista interrata collegata al nuovo
impianto olimpico di corso Tazzoli, con spazio pubblico a verde
sulla copertura.
committenza: Città di Torino
realizzazione:
raggruppamento di imprese
(ITER, Cooperativa Cellini)
eseguito

2003 * (ill. 135)
**Palazzetto Olimpico del Ghi-
accio, Torre Pellice, Torino**
Nuovo impianto olimpico (con
Studio Lee, Studio Lucchin).
committenza:
Agenzia Torino 2006
realizzazione: raggruppamento
di imprese (ITER, CIAB)
eseguito

2003 *
**Parcheggio di interscambio
Caio Mario, Torino**
Consulenza per il progetto degli
edifici di servizio, dell'allestimento dello spazio pubblico e
della fermata della Linea 4, in
zona Mirafiori nord.
committenza: GTT
Gruppo Torinese Trasporti
eseguito

2003 *
**Sistema fermate del trasporto ex-
traurbano, Provincia di Torino**
Studio delle collocazioni, design
delle infrastrutture stradali e delle attrezzature di fermata.
committenza: Provincia di Torino
eseguito

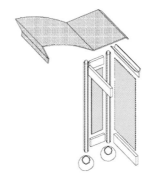

TECNOLOGIE
TELEMATICHE
TRASPORTI
TRAFFICO
TORINO

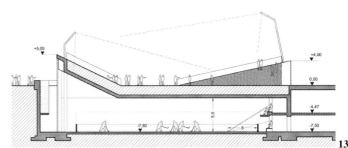

127
128
129
130
131
132
133
134
135
136

**2003 ** ** (ill. 137)
**Centro servizi lavorazione
leggera del legno
Valle Varaita, Cuneo**
Ristrutturazione, ampliamento e
allestimento degli interni di edificio industriale con destinazione a nuova sede del centro di servizi e di lavorazione leggera del legno, nel comune di Isasca.
committenza: Comunità
Montana Valle Varaita
realizzazione: Impresa COGEIN
eseguito

2004 **
**Villaggio Olimpico Media
in area Spina 2, Torino**
Progetto architettonico preliminare del villaggio olimpico per giornalisti, riconvertibile in residenza universitaria, in via Boggio.
committenza: TOROC

**2004 ** ** (ill. 138)
**Movicenter
Venaria Reale, Torino**
Progetto della stazione ferroviaria sulla linea Torino Ceres, connessa al parcheggio multipiano di interscambio con relativi servizi e spazi commerciali; sistemazione dello spazio pubblico circostante.
committenza: GE.SI.N
progettazione esecutiva in corso

2004
Edificio residenziale, Biella
Sopraelevazione, ristrutturazione edilizia e allestimento degli interni di palazzina inizio secolo in zona Parco Rivetti
(con C. Gatti).
committenza: privata
realizzazione: Impresa Acquadro
allestimento: Gruppo Bodino
eseguito

2004 **
**Accessorio per gettarifiuti
"Sabaudo"**
Accessorio posacenere in fusione di alluminio per gettarifiuti Sabaudo.
committenza:
TLF Tecno Legno Fantoni
produzione: Aluhabitat

2004 **
**Arredi montani
Emarese, Aosta**
Progetto di un sistema coordinato di attrezzature di arredo urbano realizzabili da artigiani operanti sul territorio comunale.
committenza:
Comune di Emarese
eseguito

2004 **
**Elementi per illuminazione
"Sistema Quattro"**
Sistema seriale di supporti per illuminazione pubblica ad alta flessibilità di impiego. In acciaio zincato e verniciato con accessori in fusione di alluminio è predisposto per ospitare diversi modelli di corpo illuminante.
committenza: Città di Torino
produzione:
Ruud Lighting Europe

**2004 ** ** (ill. 139)
**Fondazione avvocatura
torinese Fulvio Croce, Torino**
Progetto grafico del logo societario.
committenza:
Fondazione avvocatura torinese
Fulvio Croce
eseguito

**2004 ** ** (ill. 140)
**Mostra "Stile Italiano Giovani"
Palazzo Birago, Torino**
Progetto dell'allestimento.
promotori:
Gruppo Carrozzieri-Anfia,
CCIAA Torino
allestimento: Gruppo Bodino

**2005 ** ** (ill. 141-142)
Jacobacci & Partners, Torino
Ristrutturazione di edificio industriale multipiano anni trenta (ex stabilimento GFT) con destinazione nuova sede aziendale; allestimento degli interni, dei fabbricati e degli spazi pertinenziali.
committenza:
Jacobacci & Partners
realizzazione: Impresa Rosso
allestimento: Gruppo Bodino,
Interprogetti, Gruppo Fantoni
eseguito

137

138

139
140

141
142

2005 **   (ill. 143)
Riqualificazione di corso Nuova Italia, Santhià, Vercelli
Riqualificazione dell'asse storico centrale
(con M.Chiocchetti).
committenza: Città di Santhià
realizzazione: Impresa Porfido99
eseguito

2005
Edificio residenziale
Moncalieri, Torino
Ristrutturazione e allestimento degli interni di villa settecentesca sulla collina di Moncalieri
(con C. Gatti).
committenza: privata
realizzazione: Impresa Morghen, Falegnameria Ogliengo
eseguito

2005 **
Lampione "Vertigo"
Apparecchio per illuminazione di aree pedonali.
committenza: Gruppo Schreder
produzione: Schreder Italia

2005   (ill. 144)
Via Caduti per la Libertà
Pianezza, Torino
Riqualificazione dell'asse storico centrale e design delle attrezzature urbane.
committenza:
Comune di Pianezza
realizzazione:
Impresa Bruno Bresciani
eseguito

2005 **   (ill. 145)
Ponte mobile
San Bonifacio, Verona
Concorso di idee per ponte mobile in caso di piena, sul torrente Alpone
(con studio Mazza).
committenza:
Comune di San Bonifacio

2005 **
Sede dell'Ordine dei Medici
Torino
Concorso per ristrutturazione e ampliamento di villino urbano storico, in corso Francia.
committenza:
Ordine dei Medici di Torino

2005   (ill. 146-147)
Abitazione, Torino
Sistemazione e allestimento degli interni di appartamento su più livelli in casa a schiera sulla collina torinese
committenza: privata
realizzazione: Impresa Ortoncelli
eseguito

2005 **
Residenza unifamiliare
Rosignano Monferrato,
Alessandria
Nuovo edificio con giardino in zona di campagna.
committenza: privata
realizzazione:
Impresa Angelo Squaiera
eseguito

2005 **   (ill. 148)
Impianto informativo e pubblicitario "MUPI"
Attrezzatura per l'informazione pubblicitaria e istituzionale.
committenza: I.G.P. Decaux
produzione: I.G.P. Decaux

2005 **   (ill. 149)
Informazioni storiche
"Specchio della città"
Attrezzatura per l'informazione storico-ambientale.
committenza: I.G.P. Decaux
produzione: I.G.P. Decaux

2005 **
Museo dell'Automobile
Biscaretti di Ruffia, Torino
Concorso di idee per la riqualificazione e ampliamento del Museo dell'Automobile Biscaretti di Ruffia
(con G. Durbiano, L. Reinerio).
committenza:
Museo dell'Automobile Torino

2006 **
Auditorium Giovan Battista
Viotti, Fontanetto Po, Vercelli
Restauro, ristrutturazione e allestimento dello storico teatro
(con M. Chiocchetti)
committenza:
Comune di Fontanetto Po
realizzazione:
Impresa Consorzio Ravennate
esecuzione in corso

143
144

145

146
147

148

242

2006 **   (ill. 150)
Mostra
"Piemonte Torino Design"
Cultura del design nell'area
regionale
Cura della mostra (con C. De
Giorgi) e progetto dell'allestimento, per le edizioni:
2006 - Olimpiadi della Cultura
Sale Bolaffi, Torino
2006 - Fiera di Canton, Cina
promotori: Società degli Ingegneri e degli Architetti in Torino,
Regione Piemonte, Città di Torino, CCIAA Torino
allestimento: Gruppo Bodino,
Fabbricanti di immagine

2006   (ill. 151)
Calcio-balilla,
Hockey-balilla
Design e grafica di nuovi prodotti per l'esposizione "Piemonte Torino Design".
committenza: Sardi
produzione: Sardi
eseguito

2006   (ill. 152)
Abitazione, Torino
Ristrutturazione e allestimento
degli interni di appartamento in
edificio inizio '900
(con C. Gatti).
committenza: privata
realizzazione: Impresa APC,
Falegnameria Ogliengo
eseguito

2006 **   (ill. 153)
Fermata mezzi pubblici
Portanuova, Torino
Pensilina per fermate mezzi pubblici a Porta Nuova.
committenza: GTT
Gruppo Torinese Trasporti
realizzazione: Gruppo Bodino
eseguito

2006
Cittadella fortificata,
Alessandria
Gara di progettazione per la sistemazione delle aree fortificate
(con A. Isola, F. Brugo, P. Za-
vattaro, G. Durbiano, L. Reinerio, M. Berta, V. Comoli).
committenza: Città di Alessandria
progettazione in corso

2006 **   (ill. 155)
Piano dell'arredo urbano
Sanremo, Imperia
Riqualificazione dell'immagine
dello spazio pubblico e dell'arredo urbano.
committenza: Città di San Remo
realizzazione in corso

2006 **   (ill. 157)
Quartiere polifunzionale
e grattacielo
Bucarest, Romania
Concorso ad inviti per l'urbaniz-
zazione di un'area urbana in località Barbu Vacarescu.
committenza: privata
progettazione in corso

2006 **
Edificio residenziale
Casale Monferrato, Alessandria
Progetto di edificio condominia-
le in area centrale.
committenza: privata
progettazione in corso

2006
Segreteria Studenti
Politecnico di Torino, Torino
Consulenza di C. Germak per
l'allestimento della nuova Segre-
teria Studenti in area Cittadella
Politecnica.
realizzazione:
Gruppo Bodino, Interprogetti
eseguito

2006   (ill. 156)
Insegne in supergrafica
committenza: CSI Piemonte
realizzazione: Comunicare
eseguito

2006
Ambulatorio medico, Torino
Progetto di allestimento degli interni e della grafica di orientamento.
committenza: privata
esecuzione in corso

2006   (ill. 154)
Arredi interni al Palazzo del
Ghiaccio di Torino
Progetto degli arredi delle aree
comuni e di ristorazione.
committenza: Città di Torino
progettazione in corso

150
151

152
153

154
155

156
157

2006 (ill. 158-159-160)
Casa del Senato
Torino
Restauro e ristrutturazione di edificio storico in Largo IV Marzo.
committenza: Martini.Com
progettazione in corso

2006 (ill. 161)
Ponte sul fiume Dora
Torino
Consulenza architettonica al progetto del nuovo ponte veicolare su via Orvieto
(con D. Menardi).
committenza:
Città di Torino
progettazione in corso

2006 (ill. 162)
Linea di arredo urbano
Progetto di una linea di arredo (sedute, dissuasori, fioriere) in fusione di alluminio.
committenza: Aluhabitat -TLF
progettazione in corso

2006 ** (ill. 163)
Autobloccante "Foglia"
Masselli in cls per pavimentazioni erbose carrabili.
committenza: Cementubi
produzione: Cementubi

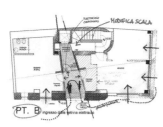
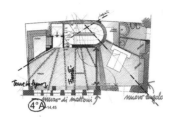

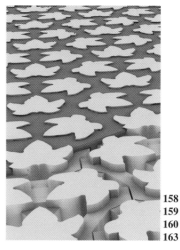

158
159
160
163

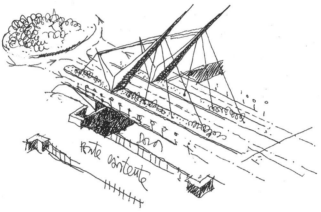

161
162

244

Bibliografia/*Bibliography*

Pubblicazioni dello Studio

• G. De Ferrari, M. Semino, *Scaffali di grande serie*, in "Domus", n° 435, febbraio 1966.

• G. De Ferrari, M. Semino, *Mobile plurivalente di inedite prestazioni*, in "Il mobile", anno II, n° 2, gennaio 1967.

• G. De Ferrari, M. Semino, *Monza: concorso Mobile plurivalente*, in "L'industria del mobile", n° 69, febbario 1967.

• G. De Ferrari, M. Semino, *Il tramezzino*, in "Domus", n° 448, marzo 1967.

• G. De Ferrari, M. Semino, *Il mobile diventa libero,* in "Elementi", anno III, n° 3, ottobre 1967.

• G. De Ferrari, G. Drocco, *Concorso per il bagno*, in "L'industria del mobile", n° 77, ottobre 1967.

• G. De Ferrari, M. Semino, *Il giardino*, in "XIV Triennale di Milano", catalogo della mostra, Milano, 1968.

• G. De Ferrari, P. Gatti, S. Jaretti, E. Luzi, C. Marletti, *L'Architettura interrotta*, in "Controspazio", n° 8-9, agosto-settembre 1970.

• G. De Ferrari, A. Franzi, *Unigramma ufficio*", in "Ufficiostile", anno IV, n° 4, dicembre 1971.

• G. De Ferrari, A. Giordano, *Proposte per il soggiorno,* in "Abitare", n° 112, gennaio-febbraio 1973.

• G. De Ferrari, *Mini alloggi*, in "Domus", n° 531, febbraio 1974.

• G. De Ferrari, *Alex + Laser*", in "Domus", n° 534, maggio 1974.

• G. De Ferrari, *Una casa giovane*, in "La mia casa", anno VII, n° 72, novembre 1974.

• G. De Ferrari, *Per tre famiglie*, in "Domus", n° 550, settembre 1975.

• G. De Ferrari, E. Bettini, C. Comuzio, *Un esempio di cooperazione tra M.C.E. e Università*, in "Movimento di cooperazione educativa", maggio 1976.

• G. De Ferrari, A. Ferroni, E. Luzi, *Era una vecchia fornace di calce*, in "Casa Vogue", n° 58, giugno 1976.

• G. De Ferrari, *I bambini di Le Corbusier fanno*, in "Domus" 565, dicembre 1976.

• G. De Ferrari, C. Comuzio, E. Bettini, *Spazio e attrezzature nella scuola dell'infanzia*, Edizioni Politecniche, Torino, 1977.

• G. Dc Ferrari, C. Comuzio, E. Bettini, *Spazi ed attrezzature,* in "Il corpo e lo spazio", Edizioni Stampatori, Torino, 1977.

• G. De Ferrari, *I libri intorno alla colonna*, in "Casa oggi", n° 48, marzo 1978.

• G. De Ferrari, G. Brino, P. Fabbri, G. Raineri, *Una manipolazione ambientale, in* "Gala international", n° 88, luglio 1978.

• G. De Ferrari, G. Brino, P. Fabbri, G. Raineri, *Residenze e servizi universitari a Torino, in* "A&RT", n° XXXIII-12, dicembre 1979.

• G. De Ferrari, G. Brino, P. Fabbri, G. Raineri, *Esperienze di riuso a Torino*", in "Patrimonio edilizio esistente" (a cura di A. Adriani), Designers Riuniti, Torino, 1980.

• G. De Ferrari, *A Moncalieri per la Villeggiatura,* in "La mia casa", n° 145, marzo 1982.

• G. Brino, G. De Ferrari, P. Fabbri, G. Raineri, *La casa dello Studente*, in "La mia casa", n° 146, aprile 1982.

• G. De Ferrari, L. Bistagnino, *Corso di progettazione industriale*, in "L'Architettura", n° 12, dicembre 1983.

• G. De Ferrari, C. Ronchetta, M. Vaudetti, *Considerazioni a margine della mostra sul riuso*, in "Edilizia Popolare", n° 181, novembre-dicembre 1984.

• G. De Ferrari, P. Maccarrone, *Collezione Blu Italia,* in "La mia casa" n° 176, aprile 1985.

• G. De Ferrari, *Progettando panchine,* in "Caleidoscopio", n° 33, giugno 1985.

• G. De Ferrari, V. Jacomussi, *Uffici Ansaldo, divisione Nira*, in "Domus", n° 667, dicembre 1985.

• Studio De Ferrari Architetti, *Progetto Torino*, in "Sulle sponde della Dora", catalogo della mostra, Torino, 1986.

• Studio De Ferrari Architetti, *Torino come progetto*, in "AU", n° 17, marzo 1986.

• G. De Ferrari, *Rilievo sistematico degli elementi di arredo urbano*, in "AU", n° 17, marzo 1986.

• G. De Ferrari, *Un metodo didattico per l'arredo urbano*, in "AU", n° 17, marzo 1986.

• Studio De Ferrari Architetti, *Per l'Arredo Urbano del Parc de la Villette*, in "AU", n° 18, aprile 1986.

• Studio De Ferrari Architetti, *Parco Nazionale del Gran Paradiso*, in "AU", n° 18, aprile 1986.

• G. De Ferrari, V. Jacomussi, *Park drive?*, in "Design", aprile 1986.

• Studio De Ferrari Architetti, *Arredo urbano per il Parc de la Villette*, in "SD Photography", n° 6, Tokio, 1986.

• Studio De Ferrari Architetti, *Sistema di Arredo Urbano*, in "Interni", n° 361, giugno 1986.

• G. De Ferrari, *Il giardino dipinto*, in "Casa Vogue", n° 179, novembre 1986.

• G. De Ferrari, V. Jacomussi, *Un'isola polifunzionale*, in "Interni", n° 365, novembre 1986.

• G. De Ferrari, C. Ronchetta, M. Vaudetti, *Un esperimento di coordinamento didattico,* in "L'identità dell'Ambiente Urbano", A Linea, Firenze, 1987.

• Studio De Ferrari Architetti, *Interventi sulla scena urbana: per progetti, per regìe,* in "Adi-Dossier Arredo Urbano", Silvia, Milano, 1987.

• G. De Ferrari: *Per un nuovo decoro urbano*, in "L'Arca", n° 6, maggio 1987.

• Studio De Ferrari Architetti, *Aluhabitat: L'alluminio per una linea di Arredo Urbano*, in "L'arredo della città", n° 2, maggio 1987.

• Studio De Ferrari Architetti, *Torino: progetto lungo il fiume Dora*, in "Le citta' immaginate", catalogo della mostra alla Triennale, Electa, Milano, 1987.

• G. De Ferrari, M. Vaudetti, G. Bistagnino, *Le piazze*, Celid, Torino, 1987.

• Studio De Ferrari Architetti, *L'Aquila, città pilota*, in "Poster", anno 2, n° 1, febbraio 1988.

• Studio De Ferrari Architetti, *L'arredo urbano a Roma oggi: tra artigianato e industria*", in "Atti del Convegno", La Sapienza, Roma 1988.

• G. De Ferrari, G. Cavaglià, *Il Valentino*", in "Gran Bazaar", n° 60, febbraio-marzo 1988.

• Studio De Ferrari Architetti, *Il progetto del progetto,* in "Progettare nella città", Allemandi & C, Torino, 1988.

• G. De Ferrari, A. Job, C. Ronchetta, "*Progetto di riqualificazione dell'asse Via Po,* in "Arredo Urbano Torino", Città di Torino, maggio 1989.

• Studio De Ferrari Architetti, *Non solo asfalto*, in "Superfici", n° 2, giugno 1989.

• G. De Ferrari, *Per la coppia*, in "La coppia", catalogo della mostra-concorso, Edizioni Lybra Immagine, Milano, 1989.

• Studio De Ferrari Architetti, *Workshop Arredo Urbano,* numero monografico di "A&RT", n° XVIII-8-10, agosto-ottobre 1989.

• Studio De Ferrari Architetti, *Fossano: centro storico, arredo urbano e colore*, Città di Fossano-Cassa di Risparmio Fossano, Fossano, 1989.

• G. De Ferrari, *Carlo Mollino Designer*, in "A&RT", n° XLIII-11-12, novembre-dicembre 1989.

• G. De Ferrari, A. Job, C. Ronchetta, *Recuperare la città: via Po a Torino*, In Asa, Roma, 1990.

• G. De Ferrari, *La casa del palosanto,* in "Casa viva", n° 84, Barcellona, gennaio 1990.

• Studio De Ferrari Architetti, *Elementi di Arredo Urbano a Torino,* in "Architettura degli anni 80 in Piemonte", catalogo della mostra, Electa, Milano, 1990.

• C. Germak, *I piani di urban design*, in "L'Arca", n° 40, luglio-agosto 1990.

• G. De Ferrari, G. Bistagnino, E. Frateili, C. Lanzavecchia, *Il punto di vendita computerizzato e il paesaggio relativo*, Celid, Torino, 1990.

• V. Jacomussi, *Immagine urbana e turismo*, in "Turismo negli anni '90", Città di Sanremo, ottobre 1990.

• Studio De Ferrari Architetti, *Una città e il suo passato: Fossano*, in "Superfici", n° 5, dicembre 1990.

• V. Jacomussi, *Cronaca dal SIA 90 a Parigi*, in "A&RT", n° XLIV, novembre-dicembre 1990.

• Studio De Ferrari Architetti, *Loft uno*, in "Eciffo - survey for new office" n° 12, Tokio, febbraio 1991.

• Studio De Ferrari Architetti, *Design per l'ambiente*, in "Superfici", n° 6, giugno 1991.

• Studio De Ferrari Architetti (a cura di), *Torino design*, numero monografico di "A&RT", n° XLV-11-12, novembre-dicembre 1991.

• V. Jacomussi, *Atti*, in "A&RT", n° XLV-11-12, novembre-dicembre 1991.

• C. Germak, *Design per la città,* in "A&RT", n° XLV-11-12, novembre-dicembre 1991.

• G. De Ferrari, *Una giusta strada difficile*, in "A&RT", n° XLV-11-12, novembre-dicembre 1991.

• Studio De Ferrari Architetti, *Luci e suggestioni in laguna*, in "Superfici", n° 8, aprile 1992.

• G. De Ferrari, L. Bistagnino, *Design d'esame*, Celid, Torino, 1992.

• G. De Ferrari, *Presentazione,* in "A&RT", n° XLVI- 5, maggio 1992.

• G. De Ferrari, *Il controllo della rappresentazione*, in "Ottagono" n° 103, giugno 1992.

• Studio De Ferrari Architetti, *Torino Design,* in "Habitat ufficio", n° 59, dicembre 1992.

• G. De Ferrari, *I parcheggi a Torino,* in "A&RT", n° XLVII-1, aprile 1993.

• V. Jacomussi, *Design per l'ambiente*, in "Proporzione A. Architettura e Alluminio", n° 1, giugno 1993.

• C. Germak, *Architettura e senso del luogo*, in "A&RT", n° XLVII-2, settembre 1993.

• G. De Ferrari, *Presentazione*, in "A&RT", n° XLVII-2, Torino, settembre 1993.

• G. De Ferrari, *Ambiente e Design*, in "Destination Europe" (a cura di S. Vitagliani), Musumeci, Aosta, 1993.

• Studio De Ferrari Architetti, *Architettura. Effetto città*, in "Modo", n° 154, gennaio-febbraio 1994.

• G. De Ferrari, *Presentazione,* in "A&RT", n° XLVIII-1, marzo 1994.

• G. De Ferrari, *Una sfida del design*, in "Design 2000", (a cura di E. Mucci), Franco Angeli, Milano, 1994.

• Studio De Ferrari Architetti, *Il piano della luce in ambito urbano*, in "Illuminare la città. Sviluppo dell'illuminazione pubblica a Torino", (a cura di L. Bistagnino, C. Ronchetta), catalogo della mostra, Celid, Torino, 1994.

• Studio De Ferrari Architetti, *Il Piano Arredo Urbano*, NIS Nuova Italia Scientifica, Roma, 1994.

• Studio De Ferrari Architetti, *Giunzioni in alluminio*, in "Repertorio di progetti e particolari costruttivi", Weka, Milano, 1994.

• G. De Ferrari, *Presentazione*, in "A&RT", n° XLVIII-2, settembre 1994.

• G. De Ferrari, *Carlo Mollino designer: una lettura tecnologica*, in "Letture tecnologiche" (a cura di G. Cavaglià), Scriptorium, Torino, 1994.

• G. De Ferrari, *Definizione di Design,* in "Parola di Design" (a cura di P. Frello, M. Marcatti), Abitare Segesta, Milano, 1994.

• V. Jacomussi, *Arredamento e ambientazione,* in "Archigonia", n° 3, novembre 1994.

• G. De Ferrari, *Presentazione*, in "A&RT", n° XLVIII-3, dicembre 1994.

• Studio De Ferrari Architetti, *Torino Design,* in "Anteprima Torino", aprile 1995.

• C. Germak, *Visto da dentro*, in "Torino Design", catalogo della mostra, Umberto Allemandi & C., Torino, 1995.

• G. De Ferrari, C. Germak, *Oltre l'automobile,* in "Modo", n° 163, aprile 1995.

• G. De Ferrari, *Mobili e arredi di Mario Passanti*, in "Mario Passanti architetto" (a cura di R. Rigamonti), Celid, Torino, 1995.

• Studio De Ferrari Architetti, *Città industriale e di design: due mostre a Torino*, in "Exporre", n° 24, giugno 1995.

• G. De Ferrari, *Utilizzo del modello reale nel Design*, in "Percorsi fra reale e virtuale" (a cura di L. Bistagnino, M. Giordani), Celid, Torino, 1995.

• C. Germak, *Una mostra da sfogliare,* in "Stileindustria", n° 4, dicembre 1995.

• Studio De Ferrari Architetti, *Torino Design - atti del convegno,* numero monografico di "A&RT", n° XLIX-2, dicembre 1995.

• C. Germak, *Immagini di una mostra: Torino design,* in "Oidi Osaka Industrial Design Institute", n° 19, Osaka, gennaio 1996.

• G. De Ferrari, *Progettare il progetto,* in "GdA, il Giornale dell'Arredamento", n° 2, febbraio 1996.

• G. De Ferrari, *Riflettendo sulla città,* in "Spazio Torino", Città di Torino, marzo 1996.

• Studio De Ferrari Architetti, *Torino Design - vom auto bis zum löffel*, catalogo della mostra, edizione tedesca, Umberto Allemandi & C., Torino, 1996.

• G. De Ferrari, *L'Accademia del Design*, in "Archipendolo", n° 2, luglio 1996.

• G. De Ferrari, *Saranno famosi*, in "GdA, il Giornale dell'Arredamento", n° 9, settembre 1996.

• Studio De Ferrari Architetti, *L'edificio estroverso*, in "L'Arca", n° 108, ottobre 1996.

• C. Germak, *Colore di serie*, in "Modo" n° 176, dicembre 1996.

• Studio De Ferrari Architetti, *L'area di Palazzo Nuovo e della Mole*, in "Spazio Torino", n° 2, dicembre 1996.

• Studio De Ferrari Architetti, *Torino Design News*, allegato di "A&RT", n° 3, dicembre 1996.

• C. Germak, *Dove ti porta il vento. Nuove conquiste aerodinamiche*, in "Stileindustria", n° 3, marzo 1997.

• G. De Ferrari, *Interazioni fra università e industria*, in "Modo", n° 183, ottobre 1997.

• G. De Ferrari, *L'arredo urbano a Borgosesia*, in "Ricerche per una architettura dei luoghi", (a cura di C. Ronchetta), Celid, Torino, 1997.

• G. De Ferrari, C. Ronchetta, M. Lucat, *La miniera di Prali*, in "Ricerche per una architettura dei luoghi", (a cura di C. Ronchetta), Celid, Torino, 1997.

• G. De Ferrari, *L'artigianato e i giovani designers*, in "Disegnare l'Artigianato", (a cura di A. Donini), Lindau, Torino, 1997.

• G. De Ferrari, *Produzione industriale ed etica professionale*, in "M & A meccanica & automazione", aprile 1998.

• Studio De Ferrari Architetti, *Allestimenti per l'artigianato*, in "Exporre", n° 33, giugno 1998.

• C. Germak, *Arredi urbani a lunga durata*, in "A&A. Architettura e Alluminio", n° 16, giugno 1998.

• C. Germak, *Dal dettaglio al paesaggio urbano*, in "Ottagono" n° 128, settembre-novembre 1998.

• M. Mastropietro (a cura di), C. Germak, A. De Ferrari, M. Melzi, *I luoghi e il progetto. Piani, architetture e design dello Studio De Ferrari Architetti*, Edizioni Lybra Immagine, Milano 1999, edizione italiana; 2002, edizione cinese.

• C. Germak (a cura di) e G. De Ferrari, "Sistema Design Italia: Torino e il Piemonte", Edizioni Lybra Immagine, Milano 2001.

• C. Germak (a cura di), *Legno Design Distretto. Le nuove linee di arredo Valle Varaita*, Agenzia del legno Valle Varaita (Cn), 2001.

• C. Germak, *Ciriè 2000: una moderna city finanziaria*, in "Presenza Tecnica" n° 175, nov. 2001.

• AA.VV., C. Germak (a cura di), *Sistema Design Italia: Torino e il Piemonte*, Edizioni Lybra Immagine, Milano 2001.

• G. De Ferrari, *La prototipazione rapida*, in "Disegnare il Design", a cura di L. Galloni, Hoepli, Milano 2001.

• G. De Ferrari, *Legno & neve*, Edizioni Lybra Immagine, Milano 2002.

• V. Iacomussi, *Hospital Waldesiano*, in "Architecti" Lisbona, n° 61 2003.

• AA.VV., C. Germak (a cura di) e G. De Ferrari, *Strategie di immagine urbana per l'area metropolitana*. Per l'Associazione Torino Internazionale, Edizioni Lybra Immagine, Milano, 2003.

• C. Germak, *Studi per la (ri)qualificazione del territorio attraverso l'arte nella città di Torino*, in "Atti del Convegno internazionale-Città alpine: qualità dello spazio urbano, qualità della vita", Città di Trento, 2005.

• C. Germak, *Piemonte Torino Design*, in "tamtam" periodico dell'Associazione Torino Internazionale, n° 2005/3 italiano e inglese.

• C. Germak (a cura di), testi di C. Germak e Claudia De Giorgi, *Piemonte Torino Design*, catalogo della Mostra allestita in Torino per le Olimpiadi della cultura 2006, Electa Mondadori, Milano 2006.

• G. De Ferrari, direttore della Mostra Piemonte Torino Design, *Ruolo strategico nella promozione del territorio*, in "La Stampa", anno 140, n° 28, 29/01/06.

• C. Germak, curatore della Mostra Piemonte Torino Design, *Rafforzare la cultura del progetto industriale*, in "La Stampa", anno 140, n° 28, dom. 29/01/06.

Pubblicazioni sullo Studio

• E. Timoni, *Movimenti nel Design per la casa*, in "Design Italia", n° 3/4, settembre 1966.

• Lavoro pubblicato in "Domus", n° 456, novembre 1967.

• Lavoro pubblicato in "Interni", n° 12, dicembre 1967.

• Lavoro pubblicato in "Prima triennale itinerante d'Architettura Italiana Contemporanea", catalogo della mostra, Centro Proposte, Firenze, 1967.

• Lavoro pubblicato in "Casa d'oro", n° 62, gennaio 1968.

• Lavoro pubblicato in "Domus", n° 459, febbraio 1968.

• B. Plumb, *Fallout from the Triennale*, in "New York Times Magazine", New York, 4 agosto 1968.

• V. Miroglio, *Plastica nuda*, in "Io", anno II, n°8, agosto 1968.

• Lavoro pubblicato in "Domus", n° 466, settembre 1968.

• Lavoro pubblicato in "Domus", n° 468, novembre 1968.

• F. Frontini, *La porta che vale un quadro*, in "Oggi", anno XXV, n° 27, luglio 1969.

• M. Appiotti, *Che dice il designer*, in "La Stampa", 8 novembre 1969.

• Lavoro pubblicato in "Design Italia '70", Achille Mauri, Milano, 1970.

• Lavoro pubblicato in "Arredorama", n° 4, luglio-settembre 1970.

• Lavoro pubblicato in "Progetti del padiglione italiano alla esposizione universale di Osaka", catalogo dell'Esposizione, Roma, 1970.

• M. De Cesco, *La porta con le tasche*, in "Panorama", 29 ottobre 1970.

• Lavoro pubblicato in "Domus", n° 492, novembre 1970.

• Lavoro pubblicato in "Domus", n° 493, dicembre 1970.

• Lavoro pubblicato in "Arredorama", n° 7, marzo-aprile 1971.

• I. Vercelloni, *Nuove immagini della casa*, in "Corriere della sera", 15 maggio 1971.

• Lavoro pubblicato in "Casa Vogue", n°8, maggio-giugno 1971.

• A. Pica, *Nuove immagini della casa*, in "Domus", n° 500, luglio 1971.

• Lavoro pubblicato in *Installation à rénover*, "La maison de M. Claire", n° 55, Parigi, settembre 1971.

• B. Munari, *Autorità vera e autorità falsa*, in "Smau 8", 29 ottobre 1971.

• Lavoro pubblicato in *Things seen*, "Design", n° 46, Londra, giugno 1972.

• N. Vinca, *Nuovi spazi nuovi arredi,* in "Casa Vogue", n° 15, luglio 1972.

• A. Pica, *Immagine per la città,* in "Domus" n° 513, agosto 1972.

• Lavoro pubblicato in "Domus", n° 516, novembre 1972.

• Lavoro pubblicato in "Domus", n° 527, ottobre 1973.

• Lavoro pubblicato in "Espressioni d'arte di Torino a Martigny", catalogo della mostra, settembre-ottobre 1973.

• Lavoro pubblicato in "Domus", n° 534, febbraio 1974.

• F. Premoli, *Antico e moderno,* in "Casa Vogue", n° 32, aprile 1974.

• Lavoro pubblicato in "Domus", n° 551, ottobre 1975.

• Lavoro pubblicato in "Forme", n° 61, ottobre 1975.

• Lavoro pubblicato in "Casa Oggi", n° 48, marzo 1978.

• Lavoro pubblicato in "Speciale Casa Oggi", n° 51, 1978.

• Lavoro pubblicato in "Cucina bella", n° 2, settembre 1978.

• Lavoro pubblicato in "Panorama", 9 gennaio 1979.

• Lavoro pubblicato in "Speciale Casa Oggi", n° 74, 1980.

• M. Clemencigh, *Arrivano i minitavoli,* in "Casa Vogue", n°125, dicembre 1981.

• S. Del Pozzo, *Vestire gli spazi,* in "Panorama", n° 859, ottobre 1982.

• Lavoro pubblicato in "Modo", n° 72, settembre 1984.

• G. Di Bella, *Caltagirone nei progetti del concorso di Torino,* in "La Sicilia", 1 febbraio 1985.

• F. Prestipino, *La coerenza funzionale dei modelli ottocenteschi,* in "Arredo Urbano a Torino", Editurist, Torino, 1985.

• Lavoro pubblicato in "Domus", n° 657, gennaio 1985.

• A. Giovenzana, *Elettra: un classico in ufficio,* in "Uomo manager", n° 7/8, luglio-agosto 1986.

• P. Pianzola, *Individuazione e distribuzione delle funzioni,* in "Habitat Ufficio", n° 20, giugno 1986.

• A. Pansera, *Il concorso mobilier Villette: attrezzature per il parco,* in "L'Arca", n° 1, novembre 1986.

• S. Vitagliani, *Il metaprogetto per la nuova sede unificata dell'Ansaldo,* in "L'Arca", n° 3, febbraio 1987.

• R. M. Rinaldi, *Torino: un progetto provvisorio,* in "Interni", n° 374, ottobre 1987.

• Lavoro pubblicato in "Premio Adi-Tecnhotel", catalogo della mostra, Genova, 1988.

• G. Giugiaro, *Una esperienza di arredo urbano,* in "Spazio Sport", n° 1, marzo 1988.

• G. Sangiorgio, *La rivoluzione passa per via Po,* in "La Stampa", 12 marzo 1988.

• Lavoro pubblicato in *Public Designers,* in "Omnibook 4", Magnus, Udine, 1988.

• C. Morozzi, *1956-1988 Trent'anni e più di design,* Idea Books, Milano, 1988.

• *Pensiline firmate,* in "La Stampa", 29 settembre 1988.

• L. Re, *Arredo urbano, chiave per ricostruire la città,* in "Stampa sera", 6 febbraio 1989.

• *Diciotto architetti per la città,* in "La Stampa", 9 febbraio 1989.

• *Progetto di riqualificazione dell'asse Via Po - P.zza Vittorio - P.zza Granmadre,* in "Arredo Urbano Torino", Città di Torino, maggio 1989.

• A. Dragone, *Una fede che apre le porte,* in "La Stampa", 7 giugno 1989.

• E. Ferrero, *Architetti, da esportare,* in "La Stampa", 10 ottobre 1989.

• G. K. Köenig, *Il Workshop torinese,* in "A&RT", n° XVIII-8-10, agosto-ottobre 1989.

• R. Gabetti, *Workshop arredo urbano,* in "A&RT", n° XVIII-8-10, agosto-ottobre 1989.

• M. Montuori, G. Carnevale, *Torino città designata al design,* in "Architettura Torino", supplemento a "Modo", n° 117, ottobre 1989.

• Lavoro pubblicato in *Pareja a la italiana,* "ARDI", n° 13, Barcellona, gennaio 1990.

• L. Re, *Poco traffico e il porfido delle explanades,* in "Stampa Sera", 18 giugno 1990.

• L. Ceccarelli, *Fossano centro storico,* in "Modo", n° 125, agosto 1990.

• B. McLure, *Operations plans et dessins story-boards,* in "Urbanismes", n° 244, Parigi, febbraio 1991.

• E. Morteo, *Due progetti di sedute collettive,* in "Domus", n° 727, marzo 1991.

• D. Beringher, *Un'immagine rinnovata,* in "Habitat ufficio", n° 50, giugno 1991.

• G. Dolfini, *Le pensiline del 2000,* in "La Stampa", 3 settembre 1991.

• A. Rulfo, *C'era una volta un loft,* in "Torino magazine", n° 20, autunno 1991.

• A. Dragone, *È design,* in "La Stampa", 29 febbraio 1992.

• L. Re, *Il design vive qui,* in "Stampa sera", 4 marzo 1992.

• L. Re, *Arredo urbano : punto focale di riqualificazione,* in "Stampa sera", 4 marzo 1992.

• M. Trabucco, *Quelle forme che hanno fatto lo stile,* in "la Repubblica", 1 marzo 1992.

• V. Briatore, *Un problema di natura sociale,* in "Modo", n° 142, giugno 1992.

• M. Giordani, *Design: opinioni a confronto",* in "Creative", n° 33, ottobre 1992.

• *Design d'esame,* in "Auto & Design", n° 78, dicembre 1992.

• Lavoro pubblicato in *Mobili fra amici,* in "Modo", n° 150, giugno 1993.

• Lavoro pubblicato in *Progetti e territori '92,* Arsenale, Verona, 1992.

• G. Chiappo Jorio, *Colloquio con Giorgio De Ferrari,* in "Dedalus - professione architetto", n° 1, dicembre 1993.

• S. Lavorini, *Dedicato ai giovani,* in "Imballaggio", n° 458, aprile 1994.

• Lavoro pubblicato in "Abitare", n° 330, giugno 1994.

• *Però questo cucchiaio ha stile,* in "La Stampa", 7 aprile 1995.

• *La mostra Torino Design,* in "la Repubblica", 8 aprile 1995.

• P. Bianucci, *Disegnare secondo natura,* in "La Stampa", 23 aprile 1995.

• Lavoro pubblicato in "Abitare", n° 340, maggio 1995.

• *La mostra Torino Design,* in "Gap casa", giugno 1995.

• A. Colonnetti, *Dare storia all'oggetto,* in "Ottagono", n° 115, giugno-agosto 1995.

• L. Bistagnino, *Visualizzazione di attrezzature d'uso per la città,* in "Percorsi fra reale e virtuale", (a cura di L. Bistagnino, M. Giordani), Celid, Torino, 1995.

• Lavoro pubblicato in *XVII Premio Compasso d'oro,* catalogo della mostra, Silvia, Milano, 1995.

• A. Pansera, *Dizionario del Design Italiano,* Contini, Milano, 1995.

• M. Vitta, *Torino Design,* in "L'Arca", n° 96, novembre 1995.

• Lavoro pubblicato in "A&A. Architettura e Alluminio", n° 8, dicembre 1995.

• J. Ma. Serra, *Elementos Urbanos,* GG, Barcellona, 1996.

• D.H. Van Alebeek, *Zeemeerin design,* in "Brabants Dagblad", Amsterdam, 28 marzo 1997.

• A. Braun, *Aufgewertete dosenöffner*, in "Stuttgart Zeitung", 3 aprile 1997.

• A. Di Robilant, *Torino, il futuro parte da Chicago*, in "La Stampa", 3 luglio 1997.

• Lavoro pubblicato in *Interior space of Europe*, The Images Publishing Group Pty Ltd, Melbourne, 1997.

• M. G. Zunino, *Il centro commerciale Le Barche*, in "Abitare", n° 367, novembre 1997.

• S. Chhina, *From car to spoon, a celebration of design*, in "Indian Express", 8 gennaio 1998.

• L. M. Joshi, *Signs JVs with Videocon, others*, in "The Observer", Nuova Delhi, 8 gennaio 1998.

• J. Kurup, *Out of space and Beyond*, in "Economic times", 18 gennaio 1998.

• M. Paglieri, *La scommessa del design*, in "la Repubblica", 21 giugno 1998.

• *Luci e Aranci. Progetto segnalato*, in "Grammichele, Una città plurale", Concorso per la ridefinizione architettonica di Piazza Maria Carafa, ed. Skira, Milano 1998.

"Lestrusa", seduta continua in alluminio, in "SD Space Design", n° 5 1999, Tokyo (J).

• *TT Trasporti Torinesi, Street Equipment Turin*, in "Transport Spaces vol. 1", ed. The Image Publishing Group, Melbourne, Australia 1999.

• *Il concorso per la Piazza Valdo Fusi a Torino*, in "Catalogo della mostra dei progetti", ed. Provincia di Torino, 1999.

• *Torino Design in Tokyo*, in "GdA", n° 12, dicembre 2000.

• *Elementi per l'arredo urbano*, recensione prodotti disegnati dallo Studio, in "A&A, Alluminio e Architettura", n° 24, Marzo 2001.

• *Dove si incontrano qualità della vita e del lavoro*, recensione del progetto Ciriè 2000, in "Espansione", Sperling & Kupfer editori, n° 11, novembre 2001.

• *I luoghi e il progetto*, recensione del libro in "Presenza tecnica", febbraio 2002.

• Lavori pubblicati in "Arredo urbano, oggetti della città", a cura del Settore Arredo e Immagine Urbana della Divisione Ambiente e Mobilità, novembre 2002.

• *L'Ospedale Valdese di Torino*, in "Dirigente d'azienda", gennaio 2002.

• *"Quattro", sistema di illuminazione*, in "Lighting", luglio 2003.

• W. Marsero, *Il palazzetto del ghiaccio in Corso Tazzoli*, in "TSport" n° 234, 2003.

• *Liberty ritrovato, il progetto di recupero di un villino liberty a Torino*, in "Cose di Casa", ottobre 2003.

• *Palazzetto del ghiaccio in Corso Tazzoli, Torino*, in "A&RT Atti e Rassegna Tecnica", nov/dic. 2003.

• *Coin, centro commerciale "Le Barche"*, in "Facciate, Serramenti, Vetri Catalogo Berti", 2004.

• *Ambrosetti Autologistic*, in "Arkitime-Knauf news letters", n° 2, agosto 2004.

• *Centro polifunzionale "I due fiumi"*, in catalogo del premio internazionale "Dedalo Minosse", V edizione, 2004.

• L.Siviero, *Porte sempre più aperte ai designer*, in "Il Sole 24Ore nord-ovest", n° 60, 05/10/2005.

• D. Diena, *Il design? Abita sotto la Mole*, in "La Repubblica", 03/10/2005.

• L. Mondo, *Torino capitale del design. Una festa mondiale nel 2008*, in "La Stampa", 03/10/2005.

• *Il palazzo del ghiaccio in corso Tazzoli*, in *Torino: la trasformazione dall'interno*, allegato ad "Abitare" n° 454, ottobre 2005.

• *"Stile Italiano Giovani" a Torino*, recensione sul progetto di allestimento della mostra, in "Exporre", marzo 2005.

• *Innovazione nella tradizione, per dare valore al paesaggio: il recupero delle miniere di talco di Prali*, in "Quaderni della Regione Piemonte", n° 39, febbraio 2005.

• *Stadio del ghiaccio in corso Tazzoli e Palazzo del ghiaccio a Torre Pellice (To)*, in "City Project" n° 2, 2005.

• *Stadio del ghiaccio in Corso Tazzoli*, in "Torino always on the moove", sezione "Distretto Olimpico", Città di Torino, 2005.

• *Progetto della "Linea 4"*, in "Torino always on the moove", sezione "Grandi Infrastrutture" Città di Torino, 2005.

• M.Filippi, F.Mellano (a cura di) *Stadio del ghiaccio in Corso Tazzoli e Palazzo del ghiaccio in Torre Pellice (To)*, in "Agenzia per lo svolgimento dei XX Giochi Olimpici Invernali Torino 2006-1. I progetti", Electa Mondadori, Milano, 2005.

• *Palaghiaccio: impianto polifunzionale a Torre Pellice*, in "L'industria delle costruzioni" n° 386, novembre-dicembre 2005.

• L. di Paola, *Coin department stores*, in *Italy Builds*, l'Arca edizioni, Milano 2005.

• *Centro Commerciale le Barche*, in "Modulo" n° 312, giugno 2005.

• Lavori pubblicati in catalogo della mostra *Piemonte Torino Design*, Electa Mondadori, Milano 2006.

• Lavori (Mole/Università, Ponte sulla Dora, Corso Francia e Piazze, Linea 4) pubblicati in "La riqualificazione degli spazi pubblici, Città di Torino - Divisione infrastrutture e mobilità, 2006.

• *Palazzi del ghiaccio Tazzoli e Torre Pellice*, in "SB Koln", n° 1/2006.

• *Palazzo del ghiaccio in Corso Tazzoli*, in "Europ'A acciaio e architettura", inverno 2006.

• C.Germak, *La cultura del disegno industriale in Piemonte*, recensione sul progetto di allestimento della mostra Piemonte Torino Design, in "Exporre" n° 58, luglio 2006.

• M.Paglieri, *Le idee. Dalla torcia al calciobalilla*, recensione della Mostra Piemonte Torino Design, in "La Repubblica", anno 31, n° 24, dom. 29/01/06.

• M. Filippi, F. Mellano (a cura di) *Stadio del ghiaccio in Corso Tazzoli e Palazzo del ghiaccio in Torre Pellice (To)*, in "Agenzia per lo svolgimento dei XX Giochi Olimpici Invernali Torino 2006-2. I cantieri e opere", Electa Mondadori, Milano, 2006.

Note biografiche

Associati

Giorgio De Ferrari

Nato a Genova, nel 1960 si laurea (relatore Carlo Mollino) alla Facoltà di Architettura del Politecnico di Torino dove è assistente di Roberto Gabetti sino al 1969, di Achille Castiglioni sino al 1977; dal 1979 è Professore Associato e poi Ordinario di "Disegno Industriale".

Nel 1996 è fondatore e direttore del Diploma Universitario in Disegno Industriale.

Nello Studio Gabetti e Isola sino al 1965, collabora con Joe Colombo e nel 1983 costituisce, con Vittorio Jacomussi, lo "Studio De Ferrari Architetti".

Presidente "SIAT Società Ingegneri e Architetti in Torino" e Direttore di "A&RT Atti e Rassegna Tecnica" 1992/1995.

Ideatore e Direttore delle mostre/evento "Torino Design" (1995) e "Piemonte Torino Design" (2006).

Relatore in numerosi convegni, è stato presidente e membro di giuria in concorsi nazionali ed internazionali.

Vittorio Jacomussi

Nato a Torino, nel 1981 si laurea (relatore Giorgio De Ferrari) alla Facoltà di Architettura del Politecnico di Torino.

Nel 1983 costituisce, con Giorgio De Ferrari, lo "Studio De Ferrari Architetti".

Consigliere dell'Ordine degli Architetti della Provincia di Torino e Presidente della Federazione degli Ordini del Piemonte e Valle d'Aosta 1999/2000.

Consigliere "SIAT Società degli Ingegneri e degli Architetti in Torino" 1992/98. Professore a Contratto al Diploma Universitario in Disegno Industriale 1997/98.

Curatore responsabile della mostra/evento "Torino Design" (1995) per l'itineranza internazionale.

Claudio Germak

Nato a Torino, nel 1984 si laurea (relatore Giorgio De Ferrari) alla Facoltà di Architettura del Politecnico di Torino dove dal 2004 è Professore Associato di "Disegno Industriale" e Coordinatore dei Corsi di Laurea triennale in "Disegno Industriale" e "Progetto grafico e virtuale".

Inizia l'attività nello Studio nel 1984 e nel 1985 ne diventa Associato.

Curatore delle mostre/evento "Torino Design" (1995) e, con Claudia De Giorgi, "Piemonte Torino Design" (2006).

Relatore in numerosi convegni nazionali ed internazionali.

Osvaldo Laurini

Nato a Casale Monferrato (AL), nel 1985 si laurea (relatore Giorgio De Ferrari) alla Facoltà di Architettura del Politecnico di Torino.

Inizia l'attività nello Studio nel 1985 e nel 1986 ne diventa Associato. Membro di giuria in concorsi di settore.

Direttore Lavori nei cantieri olimpici dello Studio per l'Agenzia Torino 2006.

Agostino De Ferrari

Nato a Torino, nel 1995 si laurea alla Facoltà di Architettura del Politecnico di Torino con una tesi svolta a Oslo sotto la guida di Sverre Fehn.

Lavora presso J.P. Buffi a Parigi nel 1996 e presso B+N-HLW a Kuala Lumpur nel 1997.

Inizia l'attività nello Studio nel 1998 e nel 1999 ne diventa Associato.

Partecipano ai progetti/ricerche dello Studio:
Claudia De Giorgi, studi e cura di mostre
Claudia Gatti, progetto di interni

Collaborano ai progetti dello Studio:
Ettore Colombo
Stefano Matteo Colombo
Paolo Filipazzi

Hanno collaborato ai progetti dello Studio:
Laura di Aichelburg, Stefania Bauer, Caroline Belot, Enza Bertinetti, Federico Bertoli, Nathalie Bruyere, Raffaela Cardia, Maurizio Chiocchetti, Chiara Daloiso, Konstantin Florakis, Fabio Garbin, Vittorio Garis, Michele Gucciardi, Ada Lanteri, Paolo Maccarrone, Beatrice Massari, Enrico Moncalvo, Etienne Iliffe Moon, Andrea Molinari, Stefania Musso, Alberto Nada, Sara Nunes Domingos, Enrico Papa, Emanuele Palazzo, Pier Paolo Ramassa, Beppe Serra, Alistair Spruce.

Biographical notes

Associates

Giorgio De Ferrari
Born in Genoa, in 1960 he graduated (supervisor Carlo Mollino) at the Faculty of Architecture of the Polytechnic of Turin where he was staff man to Roberto Gabetti until 1969 and to Achille Castiglioni until 1977; since 1979 he has been Associate Professor and later on Professor of "Industrial Design".
In 1996 he established and headed the University Diploma in Industrial Design.
After working at Studio Gabetti and Isola until 1965, he has collaborated with Joe Colombo and in 1983 he established "Studio De Ferrari Architetti" together with Vittorio Jacomussi.
Chairman of "SIAT Society of Engineers and Architects of Turin" and Editor of "A&RT Atti e Rassegna Tecnica" 1992/1995.
Promoter and curator of the shows/events "Turin Design" (1995) and "Piedmont Turin Design" (2006).
Speaker at numerous conferences, he has been chairman and jury member of national and international competitions.

Vittorio Jacomussi
Born in Turin, in 1981 he graduated (supervisor Giorgio De Ferrari) at the Faculty of Architecture of the Polytechnic of Turin.
In 1983 he established "Studio De Ferrari Architetti" with Giorgio De Ferrari.
Councillor to the Architect Fraternity of the Province of Turin and Chairman of the Association of the Architects Fraternity of Piedmont and Valle d'Aosta 1999/2000.
Councillor of "SIAT Society of Engineers and Architects of Turin" 1992/98. Contract professor for the University Diploma in Industrial Design 1997/98.
Head supervisor of the show event "Turin Design" (1995) for the international tour.

Claudio Germak
Born in Turin, in 1984 he graduated (supervisor Giorgio De Ferrari) at the Faculty of Architecture of the Polytechnic of Turin where since 2004 he has been Associate Professor of "Industrial Design" and co-ordinator of the three-year Graduation Courses in "Industrial Design" and "Graphic and Virtual Design".
He joined the architecture professional practice in 1984 and became an associate in 1985.
Curator of the show event "Turin Design" (1995) and "Piedmont Turin Design" (2006) in collaboration with Claudia De Giorgi.
Speaker to numerous national and international conferences.

Osvaldo Laurini
Born in Casale Monferrato (AL), in 1985 he graduated (supervisor Giorgio De Ferrari) at the Faculty of Architecture of the Polytechnic of Turin.
He joined the Studio in 1985 and in 1986 he became one of the Associates. He has been jury member on occasion of several competitions.
Site Engineer on occasion of the Olympic Projects trusted with De Ferrari architecture practice on behalf of Agenzia Torino 2006.

Agostino De Ferrari
Born in Turin, he graduated in 1995 at the Faculty of Architecture of the Polytechnic of Turin with a dissertation written in Oslo under the guidance of Sverre Fehn.
In 1996 he worked at Paris-based J.P. Buffi and at B+N-HLW of Kuala Lumpur in 1997.
He joined the Studio in 1998 and became an Associate in 1999.

Collaborators to the Studio projects/research:
Claudia De Giorgi, study and management of shows
Claudia Gatti, interior design project

Collaborators to the Studio projects:
Ettore Colombo
Stefano Matteo Colombo
Paolo Filipazzi

Collaborators to the Studio projects:
Laura di Aichelburg, Stefania Bauer, Caroline Belot, Enza Bertinetti, Federico Bertoli, Nathalie Bruyere, Raffaela Cardia, Maurizio Chiocchetti, Chiara Daloiso, Konstantin Florakis, Fabio Garbin, Vittorio Garis, Michele Gucciardi, Ada Lanteri, Paolo Maccarrone, Beatrice Massari, Enrico Moncalvo, Etienne Iliffe Moon, Andrea Molinari, Stefania Musso, Alberto Nada, Sara Nunes Domingos, Enrico Papa, Emanuele Palazzo, Pier Paolo Ramassa, Beppe Serra, Alistair Spruce

Studio De Ferrari Architetti

Lo Studio De Ferrari Architetti è un'associazione di professionisti attiva dal 1983 nella progettazione ambientale (piano e progetto dello spazio pubblico), nella progettazione architettonica, nell'industrial design, nella progettazione di mostre ed eventi.

Matrice comune del progetto, nei diversi settori e alle diverse scale, è una metodologia che pone particolare attenzione ai valori storici, funzionali ed espressivi dello scenario con cui ci si confronta. Un approccio metodologico condiviso da tutti i componenti dello Studio, che nel tempo ha rafforzato l'associazione professionale diventandone elemento distintivo di forte riconoscibilità.

Progettazione Ambientale

Lo Studio svolge un'intensa attività scientifica ed occupa un riconosciuto ruolo nel settore, svolgendo significativi incarichi sul territorio nazionale, testimoniati dalle pubblicazioni:

G. De Ferrari, V. Jacomussi, C. Germak, O. Laurini, *Il piano arredo urbano*, Carocci - La Nuova Italia Scientifica, Roma 1994;

M. Mastropietro (a cura di), *I luoghi e il progetto. Piani, architetture e design dello Studio De Ferrari Architetti*, Edizioni Lybra Immagine, Milano 1999, edizione italiana; 2002, edizione cinese.

Inoltre, nell'ambito di Convenzioni tra il Politecnico di Torino ed Enti Locali, G. De Ferrari e C. Germak hanno curato (con altri) le ricerche:

ATM, *Linea tramviaria 4: mobilità e riqualificazione urbana*, 2000;

Provincia di Torino, *Sistema di fermate extraurbane*, 2001;

Torino Internazionale, *Strategie di immagine urbana per l'area metropolitana*, Edizioni Lybra Immagine, Milano 2003.

Progettazione Architettonica

In particolare dalla seconda metà degli anni '90, l'impegno progettuale è testimoniato dalla realizzazione di opere complesse, per scala e tema: ospedali, centri commerciali, centri universitari e servizi, palazzi per ufficio, infrastrutture urbane (ponti, parcheggi). Tre, le opere realizzate (con altri) per i *XX Giochi Olimpici Invernali 2006*: Palazzo del Ghiaccio di Torino in Corso Tazzoli, Palazzetto del Ghiaccio di Torino (seconda pista), Palazzetto del Ghiaccio di Torre Pellice (To).

Mostre

Lo Studio ha curato e progettato l'allestimento di numerose mostre; in particolare, dal 1995, per conto di SIAT Società degli Ingegneri e degli Architetti in Torino, le edizioni di *Torino Design*, oggi *Piemonte Torino Design* (Torino '95, Stoccarda '96, Amsterdam '96, Chicago '97, Nuova Delhi '98, Tokio '00, Torino '06 edizione Olimpiadi della Cultura, Canton '06, Seul '06).

Premi

Premio *IN ARCH 1990* per componenti seriali di arredo urbano (seduta in alluminio Lestrusa); menzione *Compasso d'Oro 1994* per il gettarifiuti Sabaudo; Premio *ALCOA* 2001 per il progetto di sistemi industrializzati di attrezzature in alluminio per la città; segnalazione *Dedalo Minosse 2004* per il centro polifunzionale "I due fiumi" a Cosenza il cui parcheggio ottiene il *"Certificato di merito"* AI-PARK; targa *Architetture rivelate 2004*, Ordine degli Architetti di Torino, per la ristrutturazione dell'Ospedale Evangelico Valdese di Torino.

1. *Giorgio De Ferrari*
2. *Vittorio Jacomussi*
3. *Claudio Germak*
4. *Osvaldo Laurini*
5. *Agostino De Ferrari*
6. *Paolo Filipazzi*
7. *Stefano Matteo Colombo*
8. *Claudia De Giorgi*
9. *Claudia Gatti*
10. *Ettore Colombo*

Studio De Ferrari Architetti

Studio De Ferrari Architetti is a group of associate professionals who have worked in environmental design (urban space plan and design), architectural design, industrial design, design of shows and events since 1983.

The common denominator to the various domains and on different scales resides with a method paying utmost attention to the historical, functional and expressive values of the scenario addressed. A methodological approach shared by all the partners of the architecture practice which, over the years, has reinforced the professional partnership while becoming a highly distinctive driver.

Environmental Design

The architecture practice is committed to an intense scientific research and ranks as an established reference point in this sector as it has been carrying out significant projects nationwide, evidenced by a number of publications:

G. De Ferrari, V. Jacomussi, C. Germak, O. Laurini, Il piano arredo urbano, *Carrocci - La Nuova Italia Scientifica, Rome 1994;*

M. Mastropietro (by), Places and design. Plans, architecture and design by Studio De Ferrari Architetti, *Edizioni Lybra Immagine, Milan 1999, Italian edition; 2002, Chinese edition.*

In addition, G. De Ferrari and C. Germak have conducted a number of studies (in collaboration with others) in the framework of the Agreements between the Polytechnic of Turin and the Local Bodies:

ATM, Tram line number 4: mobility and urban renovation, *2000;*

Province of Turin, Suburban bus stop system, *2001;*

Turin International, Urban image strategies for the metropolitan area, *Edizioni Lybra Immagine, Milan 2003.*

Architectural Design

More in detail, as of the mid Nineties, the design commitment is evidenced by the accomplishment of complex works both in terms of scale and themes addressed: hospitals, shopping malls, university and service centres, office buildings, urban infrastructures (bridges, parking sites). Three works have been accomplished (in collaboration with others) on occasion of the **20th Olympic Winter Games 2006**: *Ice-skating Rink of Turin in Corso Tazzoli, Ice-skating Rink of Turin (second rink), Ice-skating Rink of Torre Pellice (Turin).*

Shows

The Studio has designed and supervised the design of numerous shows; in particular, since 1995, on behalf of SIAT Society of Engineers and Architects of Turin, the editions of Turin Design, *today* Piedmont Turin Design *(Turin '95, Stuttgart '96, Amsterdam '96, Chicago '97, New Delhi '98, Tokyo '00, Turin '06 Culture Olympics, Canton '06, Seoul '06).*

Awards

IN ARCH 1990 Award for mass-produced urban design facilities (Lestrusa aluminium seat); Compasso d'Oro 1994 honourable mention for the Sabaudo dustbin; ALCOA 2001 award for the design of industrialised systems of aluminium urban facilities; Dedalo Minosse 2004 mention for the multi-functional centre "I due fiumi" of Cosenza the parking site of which has been awarded the AIPARK "Merit Certificate"; Architetture rivelate 2004 plaque, Architecture Fraternity of Turin, for the refurbishment of the Waldensian Evangelical Hospital of Turin.

Crediti fotografici
Photograph credits

pag. 50-51: Bruno Allaix
pag. 91, 92, 93: Giancarlo Tovo
pag. 94, 95: Paola Robbe
pag. 110-111, 113, 114, 115: Federico Balmas
pag. 118: in alto, Daniele Regis
pag. 122, 123, 124, 125: Paola Robbe
pag. 126, 127, 128-129, 130, 131: David Vicario
pag. 134: Paola Robbe
pag. 136-137, 138-139: Paola Robbe
pag. 145, 146-147: rendering per cortesia Toroc
pag. 158-159: rendering Studio Lucchin
pag. 178, 179, 182, 183: Giancarlo Tovo
pag. 208-209: Paola Robbe
pag. 210, 211, 212-213: David Vicario

Finito di stampare
nel mese di dicembre 2006
presso Pirovano - San Giuliano Milanese - MI